こちら葛飾区亀有公園前派出所 ⑪

こちら葛飾区
亀有公園前
派出所⑪

目次

住《す》めば豪邸《こうてい》の巻《まき》

南4m公道面
住環境良好
価格2,400万円
小型車駐車可
なに　みてるんだよ　寺井《てらい》!?
所在地／葛飾区
土地／45.86m²
新築
価格2,430万円
不動産情報だよ　いい物件をさがしてるところなんだ
4年まえに家を買ったじゃないか　おまえ!
通勤時間3時間30分は近ごろつらくてね
だから　いったろ!　あんなド田舎からかようなんて人間わざじゃないって!

往復7時間だぞ 一日の1/3は 電車の中に いるなんて しんじられないよ
だから あの家を 売って もっと 近くに 引っ越そうと 考えてるんだ
バカいえ あんな田んぼの 一軒家なんか 売れるはず ないじゃん!
あんな所 買うのは おまえくらいな もんだよ
4年後には ひらけますよと 不動産屋が いってたが やっと駅前に「ニコニコマート」が一軒 建っただけ!
はっきりいって おまえ だまされて 買ったような もんだよ!
家に火をつけて 火災保険料を もらった方が よっぽど 得だぞ!
しーん
悪い! 寺井くん! ちょっと いいすぎた!
だいじょうぶ きっと 売れるよ! 心配するな!
この不況時代に 家をもつのは 大変なんだよ 両《りょう》さんは浅草《あさくさ》に 実家があるから なんの苦労も ないから いいけど!
バカいえ! わしは あんな所 住むもんか!

佃煮屋は親父の代でおしまいだ！あんなボロ家つぶして駐車場にした方が世のためになる
将来両さん どこに住むつもりだい？
そんなことしるもんか！なんとかなる！
ウイイイイン
豪快な生き方だからなうらやましいよ
おまえが心配しすぎなんだよ！すべて計算通りの人生なんておもしろくもなんともないだろ！
おもしろいとかつまらないの問題じゃないんだよ
人生はビッグゲームだぞ！おもしろおかしく生きた方が勝ちだ！
ビイイイン
イイイイン
わかったよ！もういいよ相談しないから
そういうつきはなしたいい方はないだろう！おい！わしだって相談くらいのってやるぞ！
おまえひとりじゃまた安さに目がくらんでとんでもない物件をえらんでしまうからな！
いたっ
ここはどうだ!? 足立《あだち》区《く》六木《むつぎ》 4DK《ディーケー》 陽当たり最高 980万円
えっ!? そんな所あった？

ほかにもあるぞ駅より1分3DK900万円!
こんなこまかい所よくさがすなぁ結構よさそうな物件だ!
さっそくこの不動産屋にいってみよう!
えっ今すぐ!?
ひまわり保育
ホンダラ不動産
ホンダラ不動産
この店みたいだね
よし!はいってみよう
ごめんよ!
いらっしゃい!

ここの物件みせてもらいたいんだけどね！
ここは売れてしまったねおととい！
ちえっじゃここは！
それはきのう売れたばかりで！
じゃあここ!!
そこも2時間まえ契約が…
この安い物件は客をつるエサだな！てめえ!!
うわあ！て…店長！
あっ!!いつかのインチキ不動産業者!!
あっ!!あの時の警官！
どうかしたのか？
チャッ
やはりここはインチキか！
とんでもない！うちはまじめひと筋の不動産業ですよ
あの3件は本当にきまったんですよほかにもいい物件がたくさんあります
本当だろうな！

格安の物件をおさがしなら「バードビレッジ代官山《だいかんやま》」はどうです？ここならどこへいくにも便利ですよ
1,200万円か！安いけどマンションはすきじゃないんだ！
マンションではありません一戸建てですよ！
え!? 一戸建てでそんなに安いの!?
とにかく現地へ案内しろ！
いいですよ！
信頼と実績で答える
ホンダラ不動産(株)
足立本店
建て売り住宅がならんでるのはわかるけど401号住宅ってどういうこと？
4階に家があるんですよ！
え!? 一戸建ての家なのになぜ4階にあるんですか!?
みえてきました！あそこが「バードビレッジ」ですよ

なんとここか!?
ギッ
一戸建て10階マンションシステム第一号なんですよ！この「バードビレッジ」は！
すげーっ大胆なことやるなあ！
まさに名のとおりトリの巣みたいな住宅だ！
バードビレッジ

家だけじゃないですよ ほら!
えっ!?
じゃ 会社に いってくるよ
いってらっしゃい
あっ!!
飛んでいっちゃった!
901号室の山田《やまだ》さんは会社が近くにありますからね!
いつもハンググライダー通勤ですよ! ほら あの家も!
本当だ!
朝の通勤時間などみんないっせいに飛びだしますから壮観なながめですよ
本当にトリ小屋だな

あの男は軽装だぞ
彼は近くの駅までしか飛びませんからね
バサ
SK
バサ
バサ
うわっ
なんだ!?
パチン

バードビレッジの方ラッシュ時間は飛んでこないでくださいー般の方がおどろきますので
ジリリリリン
どうもつい急いでいたもので!
いやはやすごい所だなここは…!
ぼくは高所恐怖症だからとてもだめだ!
あっ人力飛行機だ!!
帰宅ですねきっと!
ハンググライダーの帰りは大変ですよ!ほら
小中学生もあれでかよってるのか!?
帰りはおもくて大変だな
あっおまわりさん!
へえっ!器用にのぼっていくな!
アスレチックもかねてますからねこの住宅は!
朝なんか風に流されて30分も遅刻しちゃった!
やっぱり天気予報聞いてから飛ばないとだめだね

うちの家族はダメだよみんな体力ないし運動がにが手だから
だからこそこういう所がいいんだぞまったく
都心からすこしはなれても普通のがいいらしいぞ
はいありますよ
花やしき通り
自然も多く環境バツグン！
このあたりはどんどん住宅が建ってきますからね今がいちばん買い得です
ブロロ
正面にみえるのが我が社の物件です
中産付動受不
すごい豪邸じゃないか！
キキッ
CITROEN

部屋数が8個で650万だってしんじられないなあ!
まだあの家は広告にだしてないので今がチャンス!はい!契約書!
ちょっとまて!あの大きさで建て坪が15坪になってるぞ!
ドキ
えっまさか!?
さあはやく!契約しないとすぐ売れてしまいますよ
しかし15坪とはどういうこと!?
さあ私にはさっぱり!
ちょっと近くにいってみてくる
あっ!お客さまいけません!
あーーっなんだこりゃあ!!
ぺったんこじゃないか!
こんなハリボテでだましたな!
とんでもないちゃんと住めますよ!

大手不動産が買いあってあまった場所を我が社が安く買ったんです
C不動産
B不動産
A不動産
ホンダラ不動産
せこい土地を買いやがって!
いちばんよくみえる所で車を止めて近づかなかったのはこういうわけがあったのか!
いえ!あれはたまたまですけっしてだまそうなどとは…!
せますぎるぞ!こりゃ!
体をヨコにして歩くんですここが応接間!
ここが四畳半の和室!
畳をタテにならべてあるのが不気味だ!
電車のシートみたいだな!
ここがキッチンと食堂です
おいおいそんなせまい所はいっていくのか!?

この先が三角形の頂点ですからね！
家に体のサイズをあわすしかないな
頂点が書斎になってます
こんな所とじこめられたら発狂するぞ！
さらに2階にいきますと
階段が直角というのもすごいな
ここがゆったり大きい浴室です
どうやって向こうの部屋へいくんだ!?
湯舟の中をとおるしかないですこれが！
バシャ
バシャ
あきらかに設計ミスだぞ！
あれ!? 寺井がついてこない？
どうしたんだ？
く…苦しい…
あっ！さっきの頂点の所でつまってる!!
なんですって！

もっとまともな家を紹介しろ！
ゴホ ゴホ
わかりました！
全面南向き 高級住宅街 めぐまれた環境 見晴らしバツグン これで600万円！
N
2F
1F
安い！ここはいいなあ！
写真をごらんください！今度はうすっぺらじゃありません！内装もごらんのとおり
いやあ豪華じゃないか！すごい！
すぐ売れてしまいますので手付金をあずかりましょう！
どうしようかな!?
いい物件はすぐなくなりますよ！
まてこら！
ググッ
ぐえ
土地が一坪となってるぞ リカちゃんハウスみたいな家じゃねえのか おい！
ゴホ
ちがいます！ちゃんと普通の住宅です ほんとに！
バカいえ 一坪にどうやって建ってるんだ?
写真
フィルム
太平社

ほら！あのように！
キッ
一坪の土地からのびたアームの先に家があるのですよ！
あんなのありかよ！きたねーっ！
どうやって家の中にはいるんだよジャンプするのか？
とどきませんよ
アームをつたってエントツからはいるのです！
まるでサンタクロースだな！
もっと普通のシンプルな住宅ありませんか？
シンプルなヤツですね！わかりました！
乗ってくださいご案内します

この家なんかとてもシンプルですよ！
シンプルすぎるぞ！まるでルービックキューブだ！
どこからはいるんだよどこにもドアなどないぞ
このカードであけるんですよ
カードを家のすきまにいれると
ピッピッ
コンピューターが作動してかくされていたドアが…
ガチャガチャ
ガチャガチャ
中もなにもないぞ！
カードをここにいれればすべてここで集中管理できます
カベ全体がボヤーと光って明るくなってる
開くというセキュリティシステムになっています
ウイィーン
すごい仕掛けだな！

たとえば夕食のしたくをする場合
こうしてセットすれば
ピッ ピッ
パカッ
すべて自動的にセットされます
ウイイーン
ウイイーン
ウイイー
スッ
ズイン
ズイッ
インスタント食品もでてくるわけか
今おみせした操作がこの電話からでも可能なんです
外から家にTEL《でんわ》して暗号をつたえれば
家につくまでにはコンピューターで夕食が用意されてクーラーがききお風呂も用意されてるというわけです
まさに未来の都市だな
こちらがこの住宅のパンフレットです
なるほど!
ここからテレビやステレオもすべて操作できるのか!おもしろい!
ピッ
ピッ
こういう家に住んでみたいな!

★週刊少年ジャンプ1986年27号

3月3日はナンの日!?の巻《まき》

両さん 今度 また ピンチヒッター 頼むよ！
いつでも 呼びに来いよ いつも派出所に いるからな！
また 草野球 ですか？
2試合 ぶっつづけで さすがに つかれたよ
ヒット3本 ホームラン5本 だぞ すごいだろ
あっ!? こんな所に あるわよ！
何が？

先月出したはずの報告書…
なに！本当か!?
ちゃんと本署に出したと思っていたが……やばいなあ
部長さんに念を押されてたのに!!
見つからなかった事にして捨ててしまおう！
だめよそんな事しちゃ
しかたない！今から署にとどけてくる！
その方がいいわよ
おい両津《りょうつ》！
うわっ！すごいタイミング!!
報告書が提出してなかったぞ!!どういう事だ！
えーとそれはその……
ここに まだしっかりあるというわけで……

だから忘れぬようすぐ署に持って行けと言ったろうが
持って行こうと思っていて 机の端に置いといたら 誰かが 片づけちゃったんですよ!!
さては麗子《れいこ》だな! いつも かってに 机を かたしやがって!! おまえが原因だ このバカモノ!!
きゃあーっ
責任転嫁するんじゃない!! だらしない おまえが原因だろうが!!
すいません! すいません!!
罰として約束通り町内100周のマラソンに行ってこい
えっ なんです それ!?
ちゃんと自筆で書いたのを覚えてるだろ!
私は今度 仕事でミスを おかした場合 機動隊の装備を つけて町内100周 します 両津
し しまった まずい物を のこしてしまった
ちゃんと100周回ってくるんだぞ!
まいったな ちくしょう

部長 今日は特別な日なんですよ
えっ!? 今日だったのか!?
うっかりしてたあいつの顔を見たら つい どなる習慣がついてしまった……
怒られる事ばかりするからね あの人は…
デオ
ふう やっと30周目だ!
30
レンタル ビデオ
ちょんまげ
ちょっと休もう! どっこいしょっと!
野球2試合のあとだからきついな!
あと70周かよ 先が長いな!
まてよ! どうせ走る所 見てないんだ…
2時間ほど時間つぶして帰ってもわからないな!
きまり! コーヒーでも飲んでさぼろう!
COFFEE
OPEN

ん!? なんだ これは?
げっ 万歩メーター!!
どの位走ったか これを見ればすぐわかってしまう!!
こんな物をこっそり入れておくとは! 敵もするどい!
まだ 何か仕掛けてあるんじゃないだろうな!?
盗聴器や自爆装置がついてないか…
適当に歩数を増やしておかんといかん!
気付かずにさぼってたらまたえらい目にあう所だった
カチャ カチャ カチャ カチャ カチャ
ん!? なんだ?
coffee
こんなスタイルじゃ目立つな! 住民に告げ口されたら一発でばれる
だからこのかっこうで走れと言ったのか! ちくしょう
マジメにマラソンした方がよさそうだ!

ゆうべも
2時間しか
寝てない
からな
くそ!
ファミコン
やらなきゃ
よかった!
一
二
一
二
あれ!?
あら!?
一一
二二
あいたた
ちょっと!
こらっ
なんだ!?
なんだ!?
機動隊の
連中か!?
一
二
知らぬ
間に列に
入っちゃった!
いったい
どこへ行くんだ
おまえら?
江戸川《えどがわ》の
河川で
訓練ですよ!
江戸川まで
つき合って
られな…
ん!?
げっ!
鬼の
第99
機動隊か!!
99

今年は　特に警備が多いから厳しいですよ
冗談じゃない！そんな連中の仲間にされちゃかなわん！
ニ
こら！そこ！
逃げる気か!!
違うんです！私は機動隊員じゃないんです！
なに！
寝ぼけた事ぬかすな！どこから見ても100％機動隊員だろうが！
ビ
さっさと列の中に入って行進しろ!!
まいったな！とんだ事になってしまった
ニ
ニ
ニ
ニ
江戸川
矢切の渡し

今年は東京《とうきょう》サミットや外国王室の来日などがひかえておる!
気をぬかんようビシビシしめてやるからそのつもりで気合い入れてかかれよ!
まずは20kg《キログラム》のリュックと鉄ゲタを付けて向こう岸まで泳ぐ!!
万国《ばんこく》びっくりショーじゃあるまいしそんな事できるかよ!
わしはこのあたりで失礼する!
おい こら止まれ!!
逃げるな!!
きさま!!さっきも逃げようとしてたやつだな!!
違うんですよ!私は!!
本当に機動隊員じゃないんです!

たまたまマラソンしてる途中でこの分隊に入っちゃっただけ!
いや本当に…
そんな格好してマラソンするアホがどこにいる! たわけ!!
くだらん言いわけするな!!
ドガッ
まずきさまからその根性をたたき直してやる!
おまえが見本を見せるんだ!
ズル ズル
まいったなマラソンがまだ70周残ってるのに
ゴタゴタ言わずさっさと行け!!
うひゃ冷たい! 冗談じゃないよ
ふう! 泳いできました
わりと早かったなよし!

さっきのやつ上手に泳いでいたな!
見かけより簡単なんじゃないのか!?
うわっし 沈む!!
ザバシャ
とても泳げる状態じゃない!!
ばかものこれしきでへたばるな!
カン
早くおきろ! 次の課題に入るぞ!
敵が むかって来るのをストップさせるいいな!
この線より一歩でも出てはいかん!
相手はあの車だ!
いいな絶対くい止めろ!
おい押すなこら!

スタート!!
ブオオッ
うわっ
ひゃあーっ
なんてザマだきさまら
ガッ
ムリですよ隊長
文字通り盾《たて》となって相手を止めないといかん!!
次の7人ブロックを組め!
ようし体当りであの車を止めちゃうぞ!
とんでもない事いうなよ!

ブオオオオ
スタート！
うわっ
うっ 止めた!!
ブロオオオ…
車を止めたぞ!!
なんてやつだ よし ローギアで 一気に！
うわっ!?

タイヤがういて全然進まない!!
ゲイゲイ
うわああ――っ
ひえっ川だっ!!
ズシャッ
オーオー
ぎえっ!
ふうざまあみろ!
すごい
すごい力だ
すごいやつだなあの新人はなん班の者だ!?
それが!名簿に出てないんですよ
だから言ったろわしは機動隊じゃないって!
公園前《こうえんまえ》派出所の所員なの!!

よかったら機動隊に入らんか!? 私が推薦してやろう
けっこうだよ! わしは忙しいんだ帰る!
わが隊にもアーノルド・シュワルツェネッガーのようなパワーのあるああいう男がほしい!
まったくです
なに!? もう みんな帰っただと!?
今マニアの間で「ロボット三等兵」が大ブームです!
人がマジメに100周回ってきたというのになんてやつらだ!
麗子さんがあとでマンションに来てくれってこれ地図
なんの用だいったい!? まさか上司のわしと不倫をしたいと言うのではないだろうな?
ありえないよ!
タバコ・菓子

同じような部屋がいっぱいあってわからないよ
おっ ここか！
おーい麗子！来たぞ！
ドンドン
203
どうぞ
バタン
うわっ 中真っ暗じゃないか
こっちよこっち
こっちと言ってもどこがこっちか？
あっ

両ちゃん
お誕生日
おめでとう！
先輩
おめでとう
ございます！
今日 誰かの
誕生日か？
3月3日は
先輩の
誕生日じゃ
ないですか！
そうかあ
すっかり
忘れてた！
これは
わしからの
プレゼント
だ！
部長
まで！
ぶ…
部長…
たいした
事ないよ
気にする
な！
部長のが
一番小さいん
ですね…
一番年上
なのに…
大きな
お世話だ！
にくたらしい
やつめ！
せーの
……
やったあーっ
おめでとう
ひと息で
消すとは
すごい！

さあ切って食べましょう
わしは両津の息がかかっていない裏側がいい！
部長！
手作りケーキかすごいな
うんこれはうまい！
部長！誕生日っていいもんですねェ
ははは そうだろう！
そうか…部長にも誕生日があるんだなうーむ
子供の頃が想像つかないな……
両ちゃんは日本酒《にほんしゅ》の方がいいんじゃない？
やった！そっちがいいな！
パチパチ
このシャンパンもおいしいけど…やはりケーキとくれば日本酒が一番だよ
麗子くん誕生日とはいえ あまり甘やかしちゃいかんぞ！限度を 知らん男だからな

いやあ 昨日は どうも ごちそうさん
おかげで 思い出深い 誕生日を むかえる事が できたよ！
先輩 機動隊に 転属するって 本当ですか
えっ なんだって!?
第99 機動隊に 配属が 決定したって！
冗談じゃない あれは 向こうの 隊長が かってに 決めた事だ！ 署が そんな事 認めるわけ ないだろう！
いえ！ 署長は ふたつ返事で OKしたそうです 持参金も 付けてあげると 言ってましたよ
両津!! 配属おめでとう!! この制服は 署長からの 誕生日プレゼント だって！

★週刊少年ジャンプ1986年14号

プラン！の巻《まき》
ちっきしょう!!
冬の交通安全

麻雀ロン
ボーナス
ラーメン
カレー
ハンバーグ
亀有食堂
おしょくじ
自転車をかくしやがったな! 部長!!
裏口から入るかもしれんぞしっかり見張ってろ!

おっ
両さん!! 今日こそ借金を全部返してもらうぞ!!
逃がしませんよ!
じゃまするな!
うわっ

正面から堂どうと乗り込んで来た！
やった
つかまえたぞ!!
あっ
あっ

どけ！どけ！
どけいーっ！
なんだ!? 今日はすごい勢いだ！
全然歯がたたない………
総務課

バ
ム
わしのボーナスをよこせ!!
今しがた大原《おおはら》部長に渡しましたが…
なに!?
ガ
しまった!
裏口から車で逃げるとこだ!!
チャ

うわっ
ギャリリリ
くそ！一歩遅かった
……なんの！あきらめてたまるか！

なんなんですか？あの人は…
ボーナス時期になるといつもああなんだよ！借金取りなど敵が多いからねあの人は！
ガオオオオム
KOENIG -FERRARI
無事 先輩のボーナスを手に入れてよかったですね！
あいつに渡すと一日でなくなるからな！
おや？
後ろから機動隊の車がスピードあげてついてきます！
なんだと!?
ゴゴゴゴ

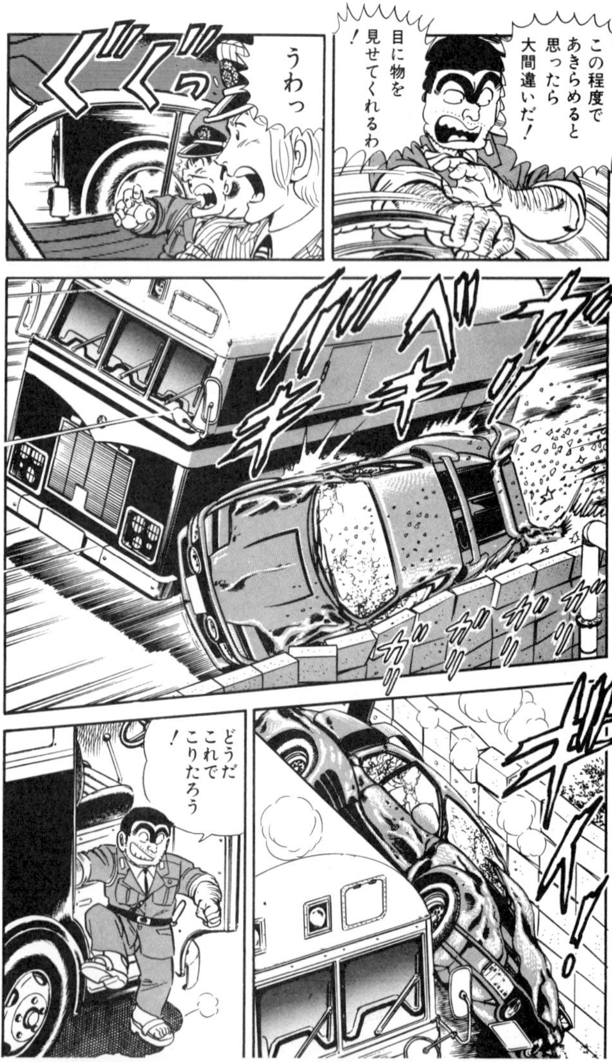
この程度であきらめると思ったら大間違いだ！
目に物を見せてくれるわ！
うわっ
どうだこれでこりたろう！

部長がいない!
おい!中川《なかがわ》!部長はどこだ!?
あっ!?年のわりに素速い動作だ!
しかし足で逃げたのが運のつき!
イダ天両さんにかなうわけない!
第2作戦まで用意していて正解だ!
まいご犬 ポチ
SHIKAKU
DANG
YAMAHA
REIKO
さすが両ちゃん執念深さは蛇以上ね

でも……
悪いけど
ここまでね!
あーっ
!?
麗子
まで!!
しっかり
つかまってて
!!
くそ!
YAMAHA
お巡り
さ~~~~ん
前のバイク
ノーヘルで
乗ってます
よ~っ
つかまえて
くださ~~~い

まだ追いかけてくるぞ!!
お金がからむとすごいパワーね!
でも60キロで走り続けるのにも限界があるわよ
ほら!
だんだんスピードが落ちてきたわ!
それにしてもすごいエネルギーね!
あの情熱を少しでも仕事に役立てればいいのだがまったく!
ち ちくしょ…う… ボ… ボーナス… 取ら…れた……
ぜい ぜい ぜい ぜい
な なんてやつらだ…… 鬼め……

何か
あったのか!?
両津《りょうつ》?
はぁ
はぁ
そんなに汗をかいて!
部長が自転車をかくすから歩いて署まで行ったんですよ
自転車なら外にちゃんとあったぞ!
今出したんでしょうが!!
ボーナス返してくださいよ!ボーナス!
急に何を言い出すんだ!
お前顔色悪いぞ!
時速60キロで20分も走れば悪くなりますよ!!

ボーナス どこですか!? あれがないと 私の ボーナスプランが 立たないんですよ!!
え!? なんの事だか わしには さっぱり?
私の ボーナスです!!
汗と涙の 結晶!!
ボーナス
ボーナス
ボーナス
ボーナス
ボーナス
ボーナス
ボーナス
ボーナス
ボーナス
ボーナス
わ… わかった
ちゃんと わしが 預かっている 心配するな!
今日68万円 振り込まないと だめに なっちゃうんですよ!
大切な品 なんですよ キャンセルに なってしまう かも 知れない
いったい 何を 買ったんだ
限定発売の R・C《ラジオコントロール》 ヘリコプターです! これをのがすと 2度と手に 入らない品 なんです
世間のお前と同世代の人は 家庭を持ち 家を建て ボーナスは ローンの支払い 月づきの生活費の補充 耐久消費財の購入にと 堅実につつましく生活しているのだぞ!!
おもちゃで 遊んだり 日曜日ごと 公園に鉄砲ごっこ やりに行くのは お前くらいな ものだ!
あれは サバイバル ゲームです
ちゃんとした 家庭を築き 仕事も充実し 生活に余裕が 感じられる そこで初めて 余暇を楽しむ!
お前の場合は ちがう! 金を右から左へ すぐ使ってしまう 何がボーナスプランだ ないくせに!!

もう小学生じゃないんだから考えて金を使わねばいかん!
真人間になれば嫁が来る可能性もあるかも知れん目を覚ませ両津!!
ううううっ 私が間違ってました!!
部長のおっしゃる通りです!
これからは もうプラモをやめます!エアソフトガンも新製品が出ても買いません!来週のR・C大会の出場も取り消します!
そうかわかってくれたか!偉いぞ!
うっ
うっ
テレビもアニメばかり見てないでNHK《エヌエッチケー》ニュースも見るんだぞ!
はい わかりました
うっ
うっ
本も漫画だけでなく字の書いてある本も読んだ方がいいわよ!
はい
うっ
うっ
うっ
プロレスや競馬の新聞のみでなくたまには普通の記事が出てる新聞も買ってくださいね
エロ記事がすてがたいけど……そうする!
金は部長の言う通り使いますから!せめて私のボーナス見せてください
まだ一度も見てないんですよ!見れば安心しますから!

ははそうか！心配いらん
ちゃんとここに…
あっ
あっこら！まて！
やられた！
中川両津を追え！
卑劣な手だ!!
わははざまあみやがれ！
だまされやがってバーカめ！
金なんて使う為にあるんだぞ！
何いってやがんだ！
入ってる！入ってる！かわいいボーナスちゃん！
げっ素速い機動力!!

車と人間の足とじゃ勝負にならん!
逃げる戦法を変えてやりゃ車は使えまい!
しまった屋根づたいに逃げられた
ああいう芸当はあいつの18番だうーむ
ご通行中の皆さん警察に協力お願いします
あの男は強盗ですつかまえてください!
ようし下町の団結を見せてやる!
あっちへ逃げたぞ!
なんだと!?
なんて奴らだ警官の姿をした泥棒なんかいるわけないだろ!
ドロボーだぞ
ワァ
ドロボー!
下町の連中は祭り騒ぎが好きだからなちくしょう!

いたぞーっ
あっ!
お前らはだまされてるぞ うわっ
放せこら!
警官の姿をした泥棒がいるかあ!この!!
まとわりつくんじゃない!
げっ!! ボーナスが!!
ぎゃあセメントの中に!!

★週刊少年ジャンプ1986年1・2合併号

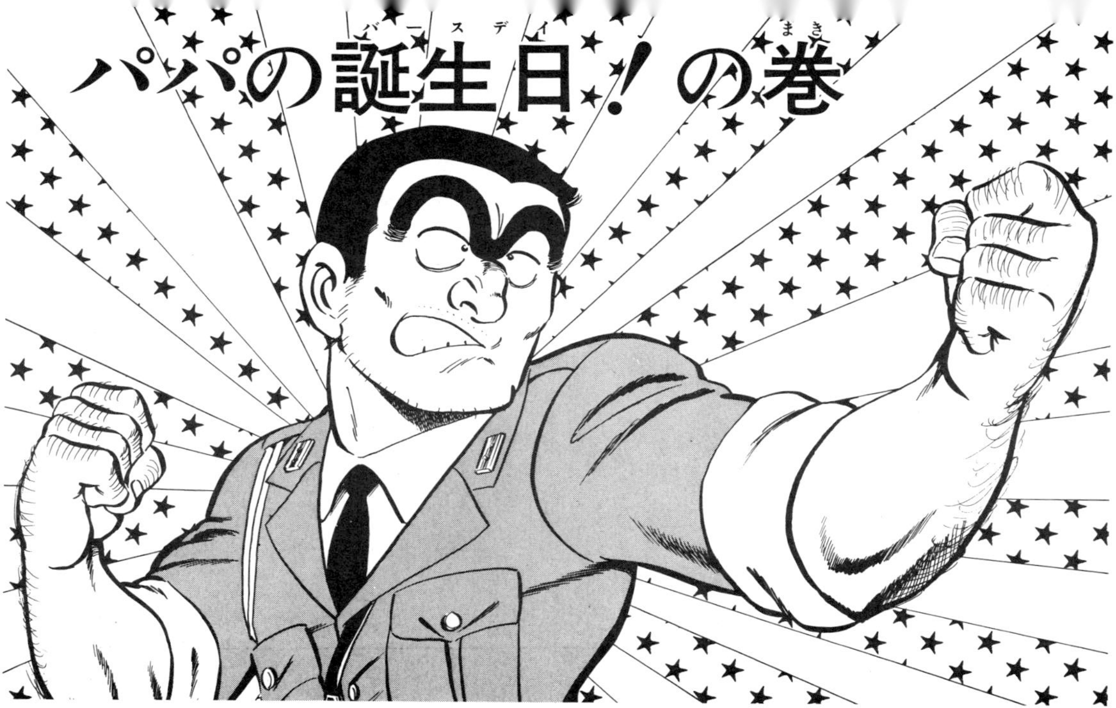
パパの誕生日《バースデイ》！の巻《まき》

なんでわしまで神戸へ行かないとダメなんだよ
パパがぜひ上司を連れてきてっていうのよ！
今日パパのバースディでしょう！パーティーは大勢の方が楽しいもんね！
そんな事で神戸くんだりまでつきあわされちゃかなわんな！
家にいてもどーせヒマだったし…まあいいか！
ん!?
おっ同じポルシェだ
ボボボボボ
なんとドライバーは女だぞ！
PORSCHE
PORSCHE

ハロー
品川《しながわ》ナンバーの
ポルシェちゃん
次のインターで
降りてデート
しちゃおうよ！
うるせえ
連中だな
文句いって
やる！
いいわよ
大丈夫！
すぐ
視界から
消すから！
あっ!?

……と いう間に いって しまった……
おい 同じ ポルシェ・ターボ だろうが!! ノロノロするな 追え!!
バカいえ!! こっちだって 最高速250キロで 走り続けているんだぞ!!
ぎょえ!! なんなんだ あの車は!!
神戸
KOBE
あの連中 目が 点に なってたぞ

同じポルシェでもこっちは特別注文935ベースのブッフマンポルシェだぞ!
基礎体力がちがうよ! ははは
東京から2時間半でついたな! 新幹線に勝った!
そうね!
ふう たべた! たべた! やはり和食は うまい
じゃ いきましょうか!
え 勘定は?
いいの! このお店しりあいだから
しりあいだって!? こんな高級な料亭で飲みくいしちゃって… タダってわけに……
またいらしてくださいお嬢様
麗子お嬢様とはなじみですから!
いや そうか! じゃ遠慮なく

友だちの家に寄ってからうちへいくわいいわね!
以前もこんな事があったな神戸はすべてフリーパスかよおまえは!?
知りあいが多いのよわたしの地元だから…
わしも浅草が地元だけれどだれもおごってくれん!
六甲新道
CAMEL
このあたりはでけえ家ばっかりだなおい!
30

ははん
ここがお嬢さんがいっぱいいるところだな！
さすがにお大尽の家らしきものがたち並んでいる……
ちょっと待て！止めろ！ストップ
どうかしたの!?
道端の一万円札みっつけた！わははは
いやあついてる！目がいいだろうへへへ！
一年前にきた時あったわよそれ！
このあたりの人だれも拾わないわ
じゃ拾ったわしはなんなんだ…くそ〜〜っ
ここが友だちの家なの！
麗子よ！迎えにきたわ！
きゃっ久しぶりねすぐいくわ待ってて！
—30分経過—

待った!? 一番奥の部屋にいたからちょっと時間がかかっちゃって!
今日は早かったわ
いいかげんにしろ! おまえら!!
しようがないじゃない! 家が広いんだもの!
広すぎる! 家の中で30分も走るな!
両ちゃん悪いけどうしろに乗ってくれる
なんちゅう狭さだ! この車は!
おなじみのちり紙交換です
ブロロロ ロ……
田舎
山南
どこかふつうの生活とちがうな!
毎度おさわがせしております
まったくこのあたりは……

六《ろっ》甲《こう》山《さん》
麗子の家 遠いなあ… 夏 きた時 もっと 近かったぞ
ボボボ
パーティー会場は 別のところなの！
こんな山の中に 会場なんて あるのかよ…
もうすぐよ ほら あれよ！
なんとっ
パパおめでとう
バースディパーティー 会場 この先 300M
PORSCHE

パパが 自分の誕生会やるために一年がかりで建てたお城なの！子どもっぽくて困っちゃう！
子どもがこんな城を建てられるかよ！
キキッ
ブロロロロ…
パーキング場で待ちあわせのはずなのにパパ どこへいったのかしら？
金持ちが集まるとすぐ 外車ショーになっちまうな
ようこそ！いらっしゃい！
あっ!?
やっほう！

ははは 驚いたろ! パーティーの アトラクションで とび回る 練習を していた
友子《ともこ》さんと 上司の両ちゃんも いっしょよ! パパ
いやあ いつも 娘が お世話に なってます!
相変わらず ユニークな 社長さんだよ
今日のパーティーの 演出は すべて 私が やりました 充分 楽しんで いってください
マメな オヤジさん だな…
要するに… 祭り事が 大好き なのよ
麗子ちゃんのパパのおたんじょうパーティー会場

外人もいっぱいきているな……
貿易関係の仕事も多いみたいよ!
おまたせいたしましたただ今よりお誕生会をおこないます
あっ暗くなった!
いえーい!
変態だ!あのオヤジ!!
恥ずかしい!!
行くぞォ
オー
オー
ワー

クル
クル
タン
ワーー
おおーーっ すごい！
さすが 社長！ みごとな演出!!
パパさん
社長に アラブの国王より 純金製の アイアンセットが 届いております
トヨ産《さん》自動車の 会長から VIP《ビップ》用 リムジンが プレゼント されてます
政界から ダイヤモンドの かちわりが…
きみたち 男は もう いい！ さがれ！
私は お嬢さんの プレゼントの 方が いい！
パパさん おめでとう カルティエの ライター つめあわせ です
キャッ キャッ
わたしは ローレックスの 目覚し時計
いやあ すまない ねェ

パパ
これ…
わたしの
プレゼント
何かな？
ダイヤか？
金か？
なんだ
こりゃ!?
手編みの
セーター
なの
お給料が
安くて
その位しか
できなくて
ごめんね
れ…
麗子……
ドッゴォォォン
きゃあ
━━っ
セーター
ありがとう
麗子！
大切に
着るから
なあ
鉄人28号
みたいな
オヤジだな
！
よかった
喜んで
もらって！

これはあっしから！実家で作ってる佃煮です
佃煮!?
なんなの佃煮って!?
たべ物みたいだけど!?
みた事ないわね!?
ガヤガヤ
うるさいなあ！
そういや中川もプレゼントがあるといっていたが……
どうやって渡すのかしら？
外にジェット機が……
え!?
Happy Birthday K.N
おお!!
なかなかアジなマネしやがるなあいつめ！

今日は優《ゆう》もきてるロンドンから帰ってきたんだ
えっ本当に!やだあ!
だれだ優って!?
わたしの妹……
あっ
ハアーイアネキ久しぶりね♡
麗子に妹がいたのかよ!?
ハイスクールはハワイで大学はイギリスのオックスフォードにいたのよ　ほとんど日本に　いなかったから………
あなたが両津さんねはじめまして優です
どうしてわしの名をしってるんだ!?
麗からくる手紙に両津さんの事がよく　かいてあるの…原始人みたいな人だって!
おまえ…陰ではメチャクチャいってるんだな…

来週のスキーはわたしもついていくからね
えっ!? だってあれは派出所の旅行だから……
いいじゃないか多い方がにぎやかで楽しい!
やったア
さすが話が わかるいい人!
現代っ子だな! あの子は!
ははは オープンな娘だからね!
こういっては なんだが わしは大金持ちだからといって娘たちを絶対 甘やかす事は しない! 厳しい父親ですぞ
妹は海外留学 麗子は3千万円のポルシェをもっている生活でどこが厳しいんだ
突然 妹がでてきたが… 兄弟はなん人いるんだ?
うーむ むずかしい質問だ
これからの話の展開でさらに妹が でるか 弟が でるか 兄が でるか 私にも予想がつかん…
いいかげんな父親だ

これからも娘の事をよろしく頼みますよ両津さん！
こりゃどうも任せといてくださいよ
どうですひとつカラオケでもいきますか
いいねえやろう！
きみ！小林《こばやし》 幸子《さちこ》の「みちづれ」やってくれる？
は!? し…しかし………
社長のいう事が聞けないというのか！
おい おい！酒ぐせの悪いオヤジだな
フルオーケストラでそんなもの頼むなよ！みっともねェ！
ねェあんた!!
はあどうも…

「銀座《ぎんざ》の恋《こい》の物語《ものがたり》」にしてくれ！それならふたりで歌える！
なるほど
おい　エコーたっぷりきかせろよいいな！目いっぱいだぞ
はい！
小指たてて3番まで思いっきりいくぞ
でだしとちるんじゃねえぞ！
何かむこうの方盛りあがってるわね
まあパパたち宴会やっちゃってるわ！
お酒が入るとすぐ中年おじさんに変身しちゃうのよとても関西《かんさい》一の財閥にはみえないわね

下町《したまち》グルメの巻《まき》
23
BENTLEY (1928)

よまりの
ハウスマヌカン
大ヒット中!
POLICE
ストップ!
キキイ
やっと
パトロールが
おわった!
自転車だと
はやくて
ラクだな!
ガッタン
さあて
昼めしでも
食べるか!
あれ?

なんだ!? ずいぶんリッチなもの食べてるな
鴨《かも》料理ですよ! このちかくにフランス料理店ができたでしょう
あの店 出前してくれるんですよ ワイン付きで!
フランス料理の出前か? めずらしいな
そういえば駅前にもフランス料理店ができたな
そうでしょう!
近ごろは 生活にゆとりができてみんな食事に関心をもつようになってきたんですよ
ほーっ そうか!
いまに もっとポピュラーになって回転ずしみたいに“回るフランス料理”なんてのがでてくるかな?
そこまではわかりませんが…
キッ
おや!

ロールス・ロイスだ！ なんで この派出所に!?
麗子さん きたみたい だよ！
ガタン
ご注文の ビストロ・コースを おとどけに あがりました
ごくろうさま ここに おいて ください
ワインは いかがなされ ますか？
そうね
シャトー・オー・ブリオン あるかしら？
はい かしこまりました

1970年もの
ですが
よろしい
ですか?
はい
30分後に
デザートと
コーヒーを
もってまいり
ますので
ごゆっくり
ご賞味
ください
ブロロロロ
おどろいたな
本格的じゃ
ないか!
代官山《だいかんやま》にある
フランス料理店
なのよ
都内なら
どこでも出前
してくれるの!

いろんなこと考えるんだなみんな!
食ブームで店がどんどんふえてますからね過当競争でいろいろアイデアをだしてますよ
いま食べるのがそんなにブームなのか?
テレビや雑誌だけでなく漫画にもなるほどのグルメブームですよ!
この店がいま一番人気があります!
ふつうの西洋館じゃないか
港区麻布十番
その通りですむかし人の住んでいた洋館を買いとりレストランに改造した店なんです
手をぬいてる店だな!
本物の西洋館だからいいのですよシェフの知名度でお客さんがあつまる時代ですからね
本当かよ!
わしはどちらかというと日本料理のほうがいいな
ありますよ日本の高級下町料理が!
下町の高級料理だと!? なんだそれ!?
よかったらこれからいってきますか?

南青山四丁目
STOP
30
FASHION
DISCO
ROC
ROCKY
高級下町料理
TAJAJAJA
キッ
ここかよ？下町の家そのまんまだな
解体中の家をもってきてここで組みたてたらしいですよ
なかも下町の家そのままだ
南青山《みなみあおやま》にあるからシャレてるんですよ
わしにとってはただなつかしいだけだ！
ガラララ
いらっしゃいませ！

ただ今テーブルをセッティングしますので少しょうおまちください
パタン
ふつうのちゃぶ台じゃないか！
下町名物の出がらし茶です！
トン
下町をバカにしてるのか？こいつらは!?
ぼくは さっき食べたから先輩 注文してください
そうか
なんだ?? この値段は!?
目玉やき
めざし……1,000円
なっとう……1,000円
コロッケ(2ケ)……1,500円
ライスカレー……5,000円
(小麦粉入り)
トンカツ……3,000円
さんま
でんぶ……800円
どうかいたしましたか？
高すぎるぞ！こら!!
当店は 最高級の材料を使用しております 目刺し用のイワシは100匹の中からよりすぐられた4匹を！ 納豆も厳選された高級大豆を！
卵も職人にそだてられたニワトリの有精卵だけをつかっておりますのでそのお値段に…
うーむ しかし高いなあ！
コゲつきごはん……800
ネコまんま……130
タクアン……680円

じゃ コロッケと マカロニサラダと ごはんに ダイコンの みそ汁! それと キンピラゴボウ
はい わかりました!
材料が高級で 値段も高くて どこが下町 料理なんだよ!
高いからこそ ありがたみが あるのですよ この店は いつも こんでますよ!
うまい!!
この店の クリームコロッケは 最高だね じつに下町の 情感が でている!
パシャ
先生の お口に あうとは 光栄です
この トンカツも じつに上品な味だ このまろやかに ひろがる ゴージャスな味は ほかに例がない
おそれ いります
なんだ!? あのつべこべ ぬかしながら くってる 野郎は!?
下町料理 評論家の 多《た》部《べ》田《た》多《た》部《べ》五《ご》郎《ろう》 先生ですよ
まさに 日本の味! 味の原点!
これこそ 本物の 日本料理 だね!
いいかげんに しろ こら!

先生に 何をするんだ!? きみ!!
さっきから聞いてりゃゴチャゴチャとやかましいヤツだな
おまえの評論など根本的にまちがってる
なんだと!!
むかしの下町ではトンカツなどめったにくえなかった! ほとんどがハムカツかメンチカツそしてコロッケ!
安くうまく大きい これが人気の三要素だ
コロッケは100%ジャガイモが本道! このようなクリームコロッケやカニコロッケなど邪道だ!! 真のコロッケではない
下町風の食事マナーも全然ちがうぞ!
そんなものあるのか!?
だれなんだあんたは!?
生まれもそだちも下町の男だ!

まずコロッケははしで つぶし約1.5倍ほどにのばす!
つぎにソースをつかるほど目いっぱいかける
それをもんじゃ焼のように少しずつとって食べる
これでごはんといっしょに食べると味が濃いからコロッケひとつでごはんを2杯食べられる!
このように下町の食事は合理的かつ経済的になっているのだ
なるほど!!
単にあんたの家が貧乏だっただけじゃないのか?
大きなお世話だ!!
これはすべて生活の知恵だ!!
ちがう!そういう食べ方しているのはあんたの家だけ!!
ここは ひとつ両者の対決という形にしましょう
なに!?

何話しあってるのかな!?あの3人
あいつと料理をつくる勝負になってしまった
えっ!?
先輩まともな料理をつくれるんですか!?
まあなんとかなるだろ!
きたねェヤツだ!プロなのに素人のわしと勝負するとはひきょう者め!
ふつうはあの先生に勝負などいどみませんよ!
多部田先生は評論ばかりでなく調理のほうもプロですよお店を経営してますから!
なんだって!!

テレビ局
TVR13
霊気の出るテレビ!!TVR
13ch ビバビバ90分
TVR
下町料理対決大
おまたせしました! いよいよ宿命の対決がはじまろうとしています
対戦相手はこのふたり!!
下町料理評論家の多部田先生!!
その先生に文句をつけた下町のおまわりさん両津さん!
ドンドン
なぜかわからんが盛り上がる番組だな

下町料理対決大会
今回は審査に3人の先生方をお呼びしております！
いずれおとらぬ下町料理になじみ深い人ばかりです！
下町料理
元オリンピック三段跳びの渡《わた》辺《なべ》桂《けい》介《すけ》選手
集英《しゅうえい》建築設計事務所より建築士の平《たいら》等《ひとし》さん
近所をあるいていた大工の棟梁《とうりょう》山《やま》田《だ》熊《くま》五《ご》郎《ろう》さん
全然下町料理に関係ないじゃないか
よろしくおねがいします
まず揚げものの勝負から!!
パン粉

その代表といえるコロッケにチャレンジしています
第一戦 コロッケ
さすがに多部田先生手つきがなれているはやくも3つもつくっています!
ゴワン
EXIPO '70
パン粉
まずい!このままじゃ負けてしまう…
たとえどんな手をつかってても勝たねば!
おっとォ!
あっ!?
グシャ
いやーっ!どうもすいませんね!
まいっち
このスタジオの床はずいぶんすべるな!
両津さんコロッケを油の中にいれました!
ジュウウウ…!
うわっ!!
あっ 失礼!! ちょっとバットが当たってしまって!
なんで料理にバットがいるんだ!?

多部田氏
はやくも
完成!!
いよいよ
審査の
先生方の
試食です
グイ
いやあ
こんなところに
ロープが
落ちていた
とは!
どうぞ
私のつくった
下町の情緒
たっぷりの
コロッケを
ご賞味
ください
うむ
ガリ
あっ
中に
タワシが
はいっていた
これが
下町風
なのか?
こら!!
多部田!!
EXIPO'70

貴様だろ!? タワシを いれたのは!
これで おあいこじゃ ないか!
先生に 暴力を ふるっちゃ いかん!!
おちつき たまえ!!
はなせ! ちくしょう!!
きゃあ
とり おさえろ!
あっ!
てめえ
ひっ
もう 完璧に 頭にきた!!

貴様を揚げものにしてやる！
グッ
グッ
ぎゃああ
バカなマネはよせ！
ジュッ
きゃあちちち！
はい！トウガラシ入りの水!!
おお！助かった!!
ザバ
バカ野郎!!よけいヒリヒリするだろ!!
ガッ
てめえらゆるさんぞォ!!

二度と番組が撮れないようにしてやる!!
うわっ!!
ズザザザァ
きゃ!!
あら両ちゃんは?
ああ あいつか… ちょっとした人事異動で本庁へいった
本庁の留置所というところで三ヵ月ほどの勤務についてる

★週刊少年ジャンプ1986年23号

3つの願《ねが》い!?の巻《まき》

天国《てんごく》
天国警察署
天国警察
天国警察
一見 人形町《にんぎょうちょう》の水天宮《すいてんぐう》に
みえるけど ここは
警察署なのである
下界治安係《げかいちあんがかり》
ふあああ〜あ

みんな
正月休暇で
出勤してるのは
わしだけか！
出勤しても
なーんにも
やる事が
ない！
机は
ピョン
どれ
下界の
様子でも
みてみるか
………
おっ
みなれた
派出所が
みえるぞ
たしか　ここに
どうしようも
ない男が
いたな！
少しは
まじめに
なったかな？
こら！
暴れるんじゃ
ない！
親切に
今年の干支《えと》に
してあげてる
んだぞ！
キャン
キャン
…………
だめだ
この男は…

ここにいても
ヒマだから
下界にでも
降りてみるか…
このバカにも
しばらく
会って
ないしな
バスだと
時間が
かかるから
タクシーで
いくか！
おっ
きたきた
キイイイン
TAXI
お乗りですか!?
下界の
東京まで
いってくれ
これなら
1時間で着く
楽でいい！
天国演芸場
本日の出演
林家三平
てんぷくコンビ
☆次回出演予定
ビートたけし
林家ひころく
天国演芸場

どっちがかわいい?
桃子 VS 由貴
なんだあ! また きたのか!?
久しぶり だのう!
まじめに 仕事してる でしょ ほら みての通り
いやいや 今日は プライベートで 遊びにきた
東京見物に きたんじゃ 案内して くれんか
ふざけた事 いうなよ! まったく

東京見物なら
はとバスで
回れば いい
だろうが!
わしは
忙しいんだ
帰れ!!
冷たい
やつだな
おまえは…
私用で
きたなら罰を
与えられる
心配ないからな
!
そう思うか
のう!
杖《つえ》は
ちゃんと
もってきて
おるぞ
ふん
なんとでも
いってろ
いやに
新聞が
重い……
あっ
きったねえーっ
また 小さく
しやがったな!
どうだ
案内する気に
なったか?

やる事がきたねえぞ
仕事以外で魔法を使いやがって!
元にもどせ!!
公私混同だぞ! じじいっ
小さくしてもやかましい男だ!
案内してくれたらおまえさんの望みを三つかなえてやろう!
本当か?
金を欲しいだけもらってもいいのか!?
いいとも!
やった! 今年はついているぞ!!
ヒョイ
あっ
それじゃさっそくいこうか
あっ なんだっこら!
小さいままかよ おい!
大きくすると逃げてしまう恐れがあるからな
するどい
しかし胸ポケットにおさまって情けない姿だな
魔神ガロンのピックかよまったく!

まずは
浅草に
いきたい
どう
いくのじゃ?
(答)桃子ちゃんと由貴ちゃん
両方供かわいい
駅から
「浅草寿町《ことぶきちょう》行き」
のバスが　でてる
それに乗れ!
ブロロロロ
次は
青戸《あおと》一丁目《ちょうめ》
お降りの
方は………
ギュ
ギュッ
混んでる
のう!
下界の
バスは!
こっちのが
大変だよ
つぶされち
まうよ!
降りますよ
降ります!
あらら
ちょっ
ちょっと
!
ふう
やっと
でられた!

おいじいさん!!
降りてしまうぞおい!
BUS
ブロロロロ
まいったな強制的に降ろされちゃったよ
じいさんひとりで行っちまったよ
よっこらしょ!
トン
ブオオオオッ
どこなんだここはいったい!?
S 800
ぎゃあ!!

ぐわっ
もう一歩で踏みつぶされるところだった!!
ドキドキ
ドキ
車道にいたらカエルみたいにペチャンコにされちまう
やばいやばい
弱ったなじいさんがいないと元にもどれないぞ
浅草へさがしに行くか?派出所で待ってるか?どうするかな…
あっちちちち
とりあえず派出所にもどった方がよさそうだ
おちおち休んでられないなちくしょう!
たしかバスはこっちの方からきたと思う!

ポル
二本立!! 好調 女子中学生シリーズ
主演 亜美ちゃん
主演 みちがみゆきえ
大人1200円 学生900円
成人映画の為 18才未満の入場はおことわりいたします
ONC
おっ やった
タダで映画がみられるぞ へへへ!
こういう利用の仕方もあるな!
ルノ屋
ガヤ ガヤ ガヤ ガヤ
あいてて 映画どころじゃないよ!
命あってのものだねだ
真っ暗で人の足しかみえなかったよ!
音はうるさいし あっちこっち蹴とばされるし メチャクチャだ!
ニャ〜〜ン
げっ
バケ猫!!

あっ おまえ 磯野《いその》さんちのタマじゃないか!?
するとここは派出所からそう遠くないな!
覚えてるだろ派出所の両さんだよ
この前昼飯のシャケ少しあげたろわしだよわし!
あいてて わかったよ! 思いだしてくれたのか!
ペロッ
痛いからなめるな
いい子だから両さんを派出所まで運んでくれ
後でほうびをやるからな
うわっ
ダダダッ
ここは 亀有2丁目
ダッ
ちょっと速すぎるぞ!!
もっとゆっくりいけ!

うわっ!!
なんて流れが速いドブだ!!
ドドドドド
泳げないぞくそ!
うぎゃあ
どこまで行っちまうんだ!!
うおっ
ドドドド

やばい
ドブねずみだ!!
キィ
キキゥ
うわっ
くわれてたまるか!
ふう
あぶない
あぶない
銃がなかったらやばかった!
わわっ
ザバッ
ボールあったぞ
よかった
もってきてくれ!
HONDA

あいつ
とばすからな
注意しろよ
まかせて
おけよ!
どうだ!!
ぎゃあーっ
打っちゃ
だめだめ!!
ナイス
ボール!!
やられた
ホームラン
だ!

うわっ なんだ!?
野球のボールだ!?
ゴロゴロゴロ
ぎゃあっちっち ちちちい!!
水の次は火ぜめかっ くそ!!
命が いくつあっても もたんぞっ!
あの由貴がふたたび登場
帰ってきたスケバン刑事
ケンミあつかう
YAMAHA
というわけで やっと 派出所に 帰ってきたんだ ぞ〜〜〜〜っ 疲れた〜〜〜っ
踏まれれば よかったのに おしかったな!

やい じじい 願い事の約束を守れよな!!
おまえのおかげで「バッタ君街《まち》を行く」のアニメみたいな目にあったんだぞ
「わかった 守るよ」はい 次ふたつ目の願いは 何かね?
きったねえ 今のもひとつに入れやがって!!
金だよ!! 10億円現金でよこせ
よろしい!
おおっ 10億円!!
やったぜ!
これで一生 遊んで暮らせる わっははは
大金持ちだ わしは!! わはは……
は!?
ちょっと待て! こらっ
このサイズじゃいくらあっても使えないだろうが!
そこまでめんどうはみきれんよ!

さあ残りは後ひとつ
つくづく陰険なじじいだなおまえ………
三つ目はこの金を元のサイズにしろ!!
ちょっと両ちゃん
自分が元のサイズにもどらなくていいの?
そうか!
そうですよ金の事しか頭に ないいんだから!
しかしわしだけ元にもどってもこの金は使えないいな
弱ったな
おまえさんを大きくするか?お金を大きくするか?どっちだ?
わしと金をいっしょに元のサイズにもどしてくれ!
だめ!ふたつはきけないどちらか一方だけだ!
うーむどうしようかな金は 欲しいし体ももどさないと…

SUZUKI
どういう考え方してるんですかね!?
欲の皮がつっぱっているからなあの男!
ちくしょう酒屋にいってもワンカップしか買えない!
ゴロゴロ
もって帰るのがひと苦労だふう!
両ちゃんいつまでそんな生活続ける気なの?
もう一度おじいさんをよんであきらめて金を元にもどしてもらったらどうですか?
うるさい! これは全部わしの金だ おまえらとったら承知せんぞ!!
カルビー
バロム1
スナック
仮面ライダー
スナック

★週刊少年ジャンプ1986年７号

両《りょう》さんの受験《じゅけん》勉強の巻《まき》

このゲームはパソコンでなくファミコンですよ!
ファミリーコンピューターの略ですのでおまちがえのないように!
そんなものどっちでもいい!
パン
えらい違いですよ!パソコンなんて高くてとても買えません!
そういう事をいってるんじゃない!おまえの生活態度を問題にしているのだろうが!!

そんな事
していいるから
いつまで
たっても
巡査長止まり
なんだ!!
大きな
お世話
ですよ
私だって私なりに
勉強してですね
今度の部長昇進
試験も受けよう
かなと思って
いるんですから
……
ほほう
それは
初耳だ
君が試験を
受けて わしと
同じ位の
巡査部長に
なる……
なるほどねェ
ノストラ
ダムスでも
予言不可能な
出来事だな
それは!
私だって
試験受ける
資格は
ありますよ!
うむ
確かに ある!
しかし
受かるかどうかは
別の次元だよ
おまえが
巡査部長に
なったら
地球は大爆発が
おきてコナゴナに
なっちまうぞ
あまりの
ショックでな
いやあ 実に
楽しみだ
警視庁始まって
以来「最低点
警官現る」
なんてニュースで
流れたりして
いやあ
今年は
楽しみだ!
先輩 本当に
昇進試験を
受けるん
ですか!?
受かる
自信あるの?
両ちゃん!?

昇進試験って そんなに 難しいのか？
そりゃ そうですよ なん度も チャレンジしてる 人が 大勢 いますからね
両ちゃんの 大嫌いな 法学の試験も あるのよ！
憲法 刑法 行政法 刑事訴訟法 この4つ わかる？
初めて 聞く名だ？
あと警察実務や 口述試験といって 面接もあるんですよ 人物 識見 教養 判断力 統率力 管理能力……など 部長としての適性が 問われます!!
論文もあるのよ ちゃんと漢字を使って 誤字のないように 書かないと 読む前に 減点されちゃうわよ！ ただ 書けばいいと いうわけじゃなく ポイントを おさえ 論理的に説得力を もたせないとネ！
それでも 受けると いうの？ 勝算あるの？
ステレオで いうんじゃない！ ゴチャゴチャして 頭が パンク するだろ！
説明を聞いた だけでも 巡査部長昇進 試験が 難しいと いう事は 充分わかった！
特に 勉強の嫌いな 先輩には 大変ですよ！
じゃあ わしが 受かる 可能性は ないのかよ！
いえ！ そうとは 言い切れ ませんが…… 0.000000 1% 位しか……

両ちゃん
道路交通法も
あまり
知らないんで
しょう?
そうズバリ
言われると
こまるが……
知らん!
しかし
部長に
あそこまで
言われ 実に
くやしいじゃ
ないかよ!
おい!
でも
事実
だから…
だからこそ
よけい 頭に
くるんだよ!
なんとか
ならんのか!
試験に
受かる方法
無いのか!?
勉強
するしか
ないですよ
やはり!
勉強
するから!
教えてくれ!
試験日まで
期間がないから
遊ぶ暇など
全然なしで
勉強しないと
ダメですよ
それでも
かまわん!
一所懸命
覚える!
そのかわり
途中で
「やーめた!」
なんて
いわないで
くださいよ
大丈夫ですね!
もちろん!!
絶対
がんばる
わかり
ました
力になり
ますよ
本当
か!

私も協力するわ 法律に詳しい人をなん人か知ってるから
そうか 頼むぞ!
ようし! 今年は一気に昇進してやる
部長め! みていろ~~~!
おはよう
おはようございます
両津のやつ本気で試験受けるつもりらしいな!
ええ!
本署でもあの両津が…と大笑いだよ!
あいつはすぐ意地になるからな ははは!

マラソンとかスポーツなど体力なら人には負けない男だが試験は知力だからな!
こればかりは体力ではどうにもならんかわいそうに!
あいつどんな勉強してるんだ? 小学4年の社会の教科書でも読んでるのか?
広辞苑
法学試験は東大《とうだい》法学部教授とハーバード大法学部教授のふたりが 交替で24時間態勢で教えていますよ!
ドン
24時間勉強してるだと!?
先輩 体力があるから全然寝なくても大丈夫なんです
刑事訴訟法などについてはぼくの顧問弁護士が担当してますしほかにも専門分野の先生がマンツーマンで教えてますから
ほ ほうなるほど…
しかしいくら偉い人が教えたって本人が覚えられるかが問題だよ
その点も大丈夫です

金子《かねこ》教授に今回の「試験合格プロジェクトチーム」の総指揮を頼みましたから！
なにあの金子教授か!?
50人教えて50人すべて司法試験合格という！パーフェクトな奇跡の教授だろ
そうですやはり教え方がすばらしいですよ
先輩と30分話してすぐ教育方針を決めたんです！
覚えるたびお金をあげるんですすると先輩メキメキと覚えが　早いんですよね！
ぼく自身も驚きましたよ先輩ってやればできる人だったんですね
単純な手だが……あいつには効果がありそうだ！
しかしいくら知識が増えた所であいつは　肝心な常識がないからな面接テストでダメだろう！
いえ！
今回は一般教養からふだんの生活指導まですべての面におよんでますからご心配なく！
人間　短期間であそこまで変身できるのかと　びっくりしますよ！

うーむ 教育方法がハンパじゃないな 今回は……
ひょっとすると…… いや! そんな事はありえん!
どうも おはようございます
いい お天気ですな 実に!!
……日本国民は、恒久の平和を念願し、人間相互の関係を支配する崇高な理想を深く自覚するのであって、平和を愛する………
などという憲法の前文が つい口に出てしまう今日このごろです
当然 暗記してますよね 日本国憲法の全文ぐらいは… 公務員ですものね
さて 仕事をしましょう
公務員は仕事が第一だ!
両津! 試験勉強してるらしいな
ええ まあ少しょう たいした事ありませんよ

日本国憲法第31条を知ってるか?
「何人も、法律の定める手続によらなければ、その生命若しくは自由を奪はれ、又はその他の刑罰を科せられない」じゃないですか
常識ですよ! 日本人として
警官の職務質問の規定を知っているか?
「異常な挙動その他周囲の事情から合理的に判断して何らかの犯罪を犯し、若しくは犯そうとしていると疑うに足りる相当な理由のある者」
「又は、既に行われた犯罪について、若しくは犯罪が行われようとしていることについて知っていると認められる者」について質問できます
なんですか? まるでテストしてるみたいじゃないすか!
いや! すまなかった! 仕事を続けなさい!
このペースでいくと警部補昇進試験も可能な位ですよ
ま まったくだ 彼もなかなか頑張ってるな うん!

さあて お昼だ！
麗子くん ヒレカツ定食をたのむ！
はい！ わかりました
ガタッ
両津は何を食べるのかな？
おまえ食事はせんのか!?
はい！ 一秒でもおしいですからね！
ピッ ピピッ
カタカタカタカタ
教授 テスト終了しましたので電送します
うむ！ わかった
カタカタ

おしいね　一問はずれだ　98点だよ
えっ　くそ!!
正犯と共犯の区別についての記述に間違いがあったね　きみのは排他的正犯概念に立つものだ
そうか　そうだ　日本国の刑法上は区別してるんだ　きのう読んだイタリア法とかんちがいした!
一時は600万円までいったのに段だんへっていくなあ
キャッシュカードを入れなさい　マイナス1000円だ
正解だと100円もらえてまちがえると1000円取られるわけです　だから必死にやりますよ
よく600万もかせいだものだな!
勤務中申しわけない　食事時間の40分いただけないでしょうか?
はあ?
あっ先生!
行政法の授業が予定より遅れているので　奥で少し教えたいのですが!　40分だけ!
その位ならいいですが…
よかった!

両津くん 昇進試験に提出する論文はできてるかね?
ジロ ジロ
はい 昨日 徹夜で完成しました
よろしい! 経済学のテキストは?
一応 全部やりました
よろしい 明日 医学博士の北野《きたの》先生の講義があるからね
今回のプロジェクトチーム組むのに かなり出費したけれど成果があるからよかったよ
両ちゃん頑張ってるものねぇ!
さあ 勤務が終わったぞ さあ帰ろう!
北緯66°33′以北が北極圏《ほっきょくけん》であり北極圏に1/3入っている国がフィンランドだな……
両津 少しは息ぬきに飲みに行こう おごってやるぞ!
いいえ けっこうです 時間がもったいないですから!
警視庁
そうだ おまえの好きなキャバレー連れていってやるぞ!
いいです!

ポッキーも全部食べていいかわいいギャルもたくさんいるぞー!
キッ
警視庁
私は今人生で一番向上心に燃えて勉強しているんです!
キャバレーは部長ひとりで行ってください!
教科書
キッ
ほら!しゃべっている間に迎えがきちゃったじゃないですか
世界史のテキストできましたか?
あと4問ほど残ってる
車内で10分以内にやってください
大学に着きましたら すぐフランス語の試験を 行いますので その練習問題をやっていてください
もうテストなのか!授業まだ始まったばかりなのに!
なにしろ期間が短いもので申しわけありません
ブロロ…
タレントよりハードスケジュールだなあいつは!

おや？さっきのテストを置いていった！
どれ？どんな問題なんだ？
うっなんと!?
こんな難しい問題をやっていたのか？
今年の有名大学の問題とほぼ同じレベルよそれ！
ガーン
それを98点取るとは…
あのバカが…信じられん…
人間やめなさい
よいこは暴走しませんよ！
POLI
なに!?
お知らせ
巡査部長昇進試験が変わります。下記の通り
音楽・図画・料理等が追加
なお
限定解除・大型特種・大型二種の免許資格が必要です。
なぞかけ問答
小麦粉とかけて何ととく？
水でとく!!
ギャフン。
はた万次郎はおもしろいなあ！
試験制度が変わるって!?そんなバカな!!
今回から変わるんだよ本当に！

部長に呼び出されたけど そんなのあと回しだ!
えらい事になったぞ! こりゃ!
御苦労 悪かったな 頼んで!
あれで信じましたかね!
まだあいつにバカが少し残っていればなんとかなる
ヘタすると自分より上の警部補にまでなりかねない そうすると自分は部下になってしまう
いやそんな事より あいつが警部補などになったら警察のメンツは丸つぶれだ なんとか止めんといかん!
今すぐ大型特種免許取りに行くって!?
あと自動二輪の大型もないとダメなんだよ 明日から習わないと!
おちついてください! もう一度初めからいってくださいよ 先輩!
あっ部長
何かあったのかね

状況が変わったみたいなの
…というわけで音楽や図画が増えたんだよ！試験内容に！
わしなど絵が下手で音痴だからダメだ！こればかりは覚えられないよドラえもんしか書けない！
おーいおいおい
わかりました先輩は今まで通り授業を続けてください！
だってほかに書けるのはオバQだけだぞ！
こちらで調べてみます！とにかく今はプロジェクトチームを崩さずにプログラム通り進めないとムダになります
鋭い！
中川というブレインがそばにいる限り破壊工作は難しい
それから色いろな手段で両さんの気を引こうとしたが
両さんの鉄のような意志の前にはすべてムダな努力にすぎなかった
ハァーイ
うまい！
そしてついに巡査部長昇進試験の日が来たのである！

いやあ この三か月間は長かった 一年以上の充実感があるぞ!
プロジェクトを解散していよいよ明日試験ですね
風邪《かぜ》なんてひいちゃだめよ!
大丈夫! 体力と度胸は人一倍だからな! まかせとけ!
そうだ! さっきやった東大二次と同じ問題ですが…
100点満点です
そうかァ 大学生にもなっちゃおうかな!
部長!! 試験通れば部長と同じ星が3つになっちゃいますねえ
そ そうだな
でもすぐ警部補になっちゃうからな! 少しの間だけいっしょですね
本庁からぜひと引っぱられたらどうするかな? まいったなこりゃ!
人間やる気になりゃなんでもできるもんです!
がはははは!
試験日の夕方

★週刊少年ジャンプ1986年13号

両《りょう》さんのプレゼントの巻《まき》

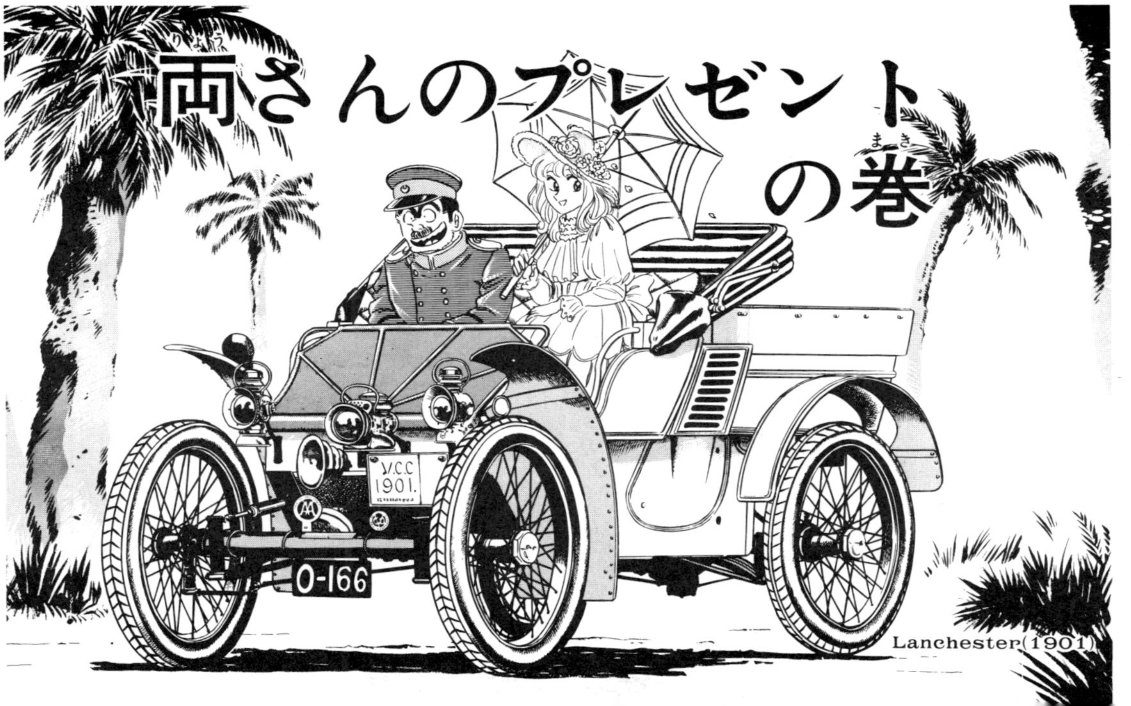

完成だ 見ろ!!
辞典
葛飾区
東京23区
ずいぶん 大きい車ね!
ブガッティ アトランティック という車だ! イタリア製の 高級金属キットを 組みたてたんだ
キットでは 無可動だった ドア・ボンネット ハンドル・ワイパー すべて可動する ようにつくった
へえ!
部品点数2.800部品の 上級モデルで 製作日数一年と 書いてあったのを わずか2日間で 組みたててしまった すごいだろう!
ふーん
葛飾区

はやさの秘訣は わしが考案した この焼き付け塗装用ライト これで車に塗られた塗装を 一瞬にして 乾燥させてしまう
実車同様のツヤと輝きが短時間でできてしまう!
本物とおなじ金属モデルだから この方法が使えるわけだ 天才だろ!
そんなに苦労して その車つくって どうするの?
ボディーラインが美しいなどと思いながらながめるんだよ
ながめてどうするの?
我ながらよくできたと感心するんだよ
感心してどうするの?
いちいちうるさいな!!
いけね! ショックでワイパーがとれた!!
うーむ これは中からとめてあったから分解しないとつかんぞ くそ~~~!
ねえ そんなに苦労してなんになるの?

なんの得にもならないよ悪かったな!
これは趣味というレジャーなんだから口だすな!!
てめえなんかフランス料理のおいしい店でもさがしてりゃいいんだ!ブタ女!!
きゃっ
女に男のロマンがわかってたまるか!ふざけやがって!
まったくああいうノー天気が世の男をダメにするんですよね!部長!
まいったなヘタにワイパー可動にしたんで車体はずさないとなおせなくなったぞ!
接着してしまった物をどうやってあけようか?
げっ部長!!
部長!! この車私のじゃないのです! いや 本当!!
署長のお坊ちゃまにたのまれて余暇を利用してですね…

まあ たまの 息抜きで いいだろう
どういう わけだ!? カミナリが 落ちない とは…!?
両津!! 実は おりいって 相談が あるんだ!
えっ 相談!?
お金 ないんですよ 今月500円で 生活してるん ですよ!
おまえ なんかから 金など 借りるはず ないだろ!
おまえ おもちゃに けっこう くわしかったな!
え…ええ まあ! ほんの 少しょう
実は 大介《だいすけ》に おもちゃを 買って あげようと 思ってな
大介!? あっ!! 部長の お孫さんの 大介くん!
部長 そっくりの りりしい 顔した 大介くんですね!
デレ〜〜
そう! そう! その 大介!!

わしはおもちゃのことは全然わからんからな!
ふむふむそこで私に相談というわけですか
まっ部長すわって話しましょう
おっすまん
ガタ
ひと口におもちゃといっても多種多様にありますからね
うむそうだろうな!
大介くんはおいくつですか?
一歳十か月だ!
なに!? 一歳十か月!!
う〜〜む一歳十か月かおそろしい!一歳十か月とは…
これは大変だ!うーむ一歳十か月
一歳十か月がどうかしたのか?両津!?
そんなのんきにかまえてる場合じゃないでしょう部長!
一歳十か月といったら一番大切な時期ですよ!

将来の人間形成が決まってしまう時期ですよ!! この時期をおろそかにするとどうしようもない人間になってしまいますよ
「一歳十か月子の魂 百歳まで」というでしょう!!
それをいうなら「三つ子の魂百まで」でしょう！
だまらっしゃい!! 出しゃばり女!!
ようかんでも切ってもってきなさい！ しっしっ
昔は三歳といわれてましたが現在では一歳十か月です！
東大名誉教授の山田林《やまだばやし》 助三郎《すけさぶろう》教授の「赤ちゃんの育て方ABC《エービーシー》」という本に書いてありました！
特に子どもにとっておもちゃというのは大切なものです どんなおもちゃをあたえるかで人間形成が決まります
その時期にこそ独創性 創造性を伸ばすおもちゃをあたえねばなりません！
その点おもちゃ博士と呼ばれる私に相談をしてきたあなたはえらい！
いやあよろしくお願いします！
おもちゃは大きく分けてうごく物とうごかす物のふたつになるのです つまり動力のあるぜんまい仕掛けの車やロボットがうごく物！
うごかす物とはケン玉やコマのように自分でうごかすおもちゃのことです！

たとえば ダルマ落としを 例にとっても あの単純な 遊びでも 地球の 引力・慣性の法則 などを利用している わけです
引力
慣性
なるほど!
このように おもちゃとは 遊んでいて 自然に 物ごとなどが 学べる すばらしい物 なのです
部長も おいそがしい でしょうから 私が代わりに 選んで買って きましょう
ス
なんですか その目は!?
この私を 信用して ないんですか?
おまえに 現金を もたすのは 不安だ!
いい品物が 見つかったら わしにしらせて くれ!! わしが買いに いくから
くそ〜〜っ 品物をまけさせて 差額を 着服 しようと計画 してたのに〜〜
いつも そういう 考えだから 信用が ないのよ!
TOY LAND
TOY LAND
'86 世界のおもちゃ
ミニカー大集合

ドイツフェアー
45.000
¥80.000_
30.000
なんだ この 値段は？
こんな高い物 平気で よく 売るもんだよ！
ガキに こんな高級な おもちゃが必要 でしょうか!?
フランスドール
お客様 商品にお手を ふれないように してください
やかましい 店だな！
そんなに さわられるのが いやなら 金庫にでも しまっておけ！
こういうものは さわって うごかさないと うごきが わから ないじゃねえか
ほう けっこう おもしろいな
60.000
カタン カタン
あの…お手を ふれない ように
ちえっ！
じゃ 足で うごかせば いいだろ 足で！
それも ちょっと！
ゴロ ゴロ

じゃ頭でさわればいいだろ
それもちょっと！
しかたない最後の手段ヘソでさわることにする
お客様 もう そのへんでかんべんしてください
いくら輸入おもちゃばかりだからって高すぎるぞ
円高が全然反映されていないいなこの店は…
こんなただの積み木が5万円かよ
わしにもつくれそうだぞ
¥50.000
TELE PHONE
よし決めた
おなじ物をつくろう
タテが約8センチだな
厚さが2センチ よし…
あのお客様…
商品にさわっちゃいないぞ 横が3センチと…
堂どうとコピーなさるとこまるのですが…
もうすぐおわる！まってろ！
ANIMAL BLOCK

10cm
8cm
8cm
シュッ
シュッ
これで形はOKだ!
あとは仕上げのみ!
何つくってるんです?
部長の孫にあげるおもちゃをつくってんだよ
ガキがつかう物だから角がとがっているとあぶないからな!
先輩にもやさしいところがあるんですね!
バーカ!ただでこんなことやると思うのか
売るんだよ5万で!

あっ　このメーカーの品物なんですか?
しってるのか? 木箱もそっくりにつくったんだ
有名ですよ! 本物とまったくおなじだすごい!
原寸で図面をとったからな! よしできたぞ!
見ろ!! りっぱなモンだろ!
1ミリのくるいなくおさまってますね!
あたりまえだ 200時間もかけて製作したんだからなパーフェクトだ
本物を買った方が手間を考えると安かったんじゃないかな?
本物は木箱のうらに「HAND《ハンド》 MADE《メイド》」とはいってますよ
なに!?
部長おはようございます
うむおはよう
サンキュー ばれるところだ!! さわれなかったからウラまではしらなかった

両津！まだおもちゃは見つからんのか!?
いえ！もうだいたい目星はつきました！
ヘンなかっこうしてどうかしたのか？
ちょっと腹が痛くてあいたたた
駅前にオープンしたデパートに 娘が買物にくるといっていた派出所によるかもしれん
なるほどその時にプレゼントをわたすわけですか
実はそう思って買っといたんですよ！
なに！
そうか気がきくな！よかった！よかった！
きょうひろみさんが来るような気がしましてね
ほう積み木か！いくらした？
5万です
なんだと!?
5万円です！

中川くん 説明! 説明!
えーと それはフランスの有名おもちゃメーカーの品で高級品なんです!
ただし本物ならば…いたた
高級なのはわかったが積み木で5万とは…
何をおっしゃいます部長のお孫さんでしたらこのくらいの高級品を使わないと!
デレ〜
そ そうか! うむ!
しかし積み木など大介が喜ぶかな?
積み木こそ創造性をのばし情操教育に最高! かぎりのない本物志向!!
部長のお孫さんなら本物を理解し喜ばれます
デレ〜
そうか わしもそう思う
お父さん!
あっ 大介もいっしょか
部長のお孫さんは天才!!
春の交通安全週間

勤務中にきてはいかんといったろ！まったく！
じじ！
おお 大介 覚えてるか!? ははは こいつっ！
デレ〜〜
鬼の部長も大介君のまえじゃ普通の人にもどっちゃうね
初孫ですものね 無理もないわよ
ちょっと はやいが大介に誕生日プレゼントだ！
まあ どうも ありがとう！
ほうら 大ちゃん おじいちゃまからもらったわよ いいわね
キャ キャ
ほうら 大介君 大喜びじゃないですか部長!!
本当だ たてかえてもらった5万円を返すからな！
本当に 5万円もらっちゃう気ですか!?
当然だろ 本物も5万円するんだから！

しばらく見ないうちにずいぶん大きくなりましたね！
もうすぐ二歳になるんですよ両さん
目元が部長にウリふたつだ！将来はりりしい青年になるでしょうね
デレ〜〜
両津!! 今夜は錦糸町《きんしちょう》に飲みに行こうな！
どうも！お供させていただきます
ちょっと見てくださいよ部長!!
ん!?
同じ子どもでもこっちは下町丸だし！この頃からもう顔に苦労がでてます！
ビー玉・メンコザリガニ取りカンけりなどという下品な遊びばかりしてるとこうなるんですよ
それにくらべると大介君は育ちのよさ品のよさが顔に出てますねえ！
うーむ気高い気品が感じられる
おまえにこづかいをあげよう！いくらほしい？
いやあ部長！おそれいります

まるで森《もり》の石松《いしまつ》の「三十石船《こくぶね》」だね！
部長の弱みにつけこむのは天才的よ
ひろみさん中で休んでいってくださいどうぞ！
お仕事中いいんですか？
我われなど年じゅうヒマですから遠慮なんかいりませんよ
どうも
気のきかない無能なやつらばかりでまいりましたよははは！
そんなことないですよ！
麗子!! お茶をはやくださんか!!
はい！
コト
どあほ!!
ばしゃ
きゃあ

お茶といったらようかんやせんべいをそえるのが当然だろ！バカモノ！
なに考えて生きてんだ！
ひどい！あんないい方しなくてもいいのに！
このさい部長にしかってもらった方がいいな
きょうの部長じゃ無理よ！
だいじょうぶ事実をしらせればいい！
部長!! その積み木のことですが…
フランス製の高級品だろ！
BLOCK
実は先輩が作った物なんですほら！
あっ!?
クル
ハンドメイド品
本物は高いので自作したんです！
だまして金を取るなんてとんでもないヤツだ！
おい両津！
はい！なんでしょう
ANIMAL BLOCK
この積み木おまえがつくったらしいな！
ドキ

ほら 部長
大介君が
笑った!
かわいい!
ははは
よし!
よし!
デレ〜〜
部長!
話を
ごまかすな!
こいつ!
それじゃ
そろそろ
失礼
するわ
あっ!!
まだ
いいじゃ
ないですか
まだ!
でも
買い物が
あるし…
そんなこと
いわないで
!
ほうら
大介ちゃん!
おじいちゃま
でちゅよ!
おお!
元気の
いいヤツだ!
ははは
デレ〜
どこまで
引きとめられる
かな?
娘さんが かえった
とたんに 部長の
大カミナリが
直撃する
からね

★週刊少年ジャンプ1986年26号

なんてたって愛《アイ》ドールの巻《まき》

Rinspeed
969 Porsche

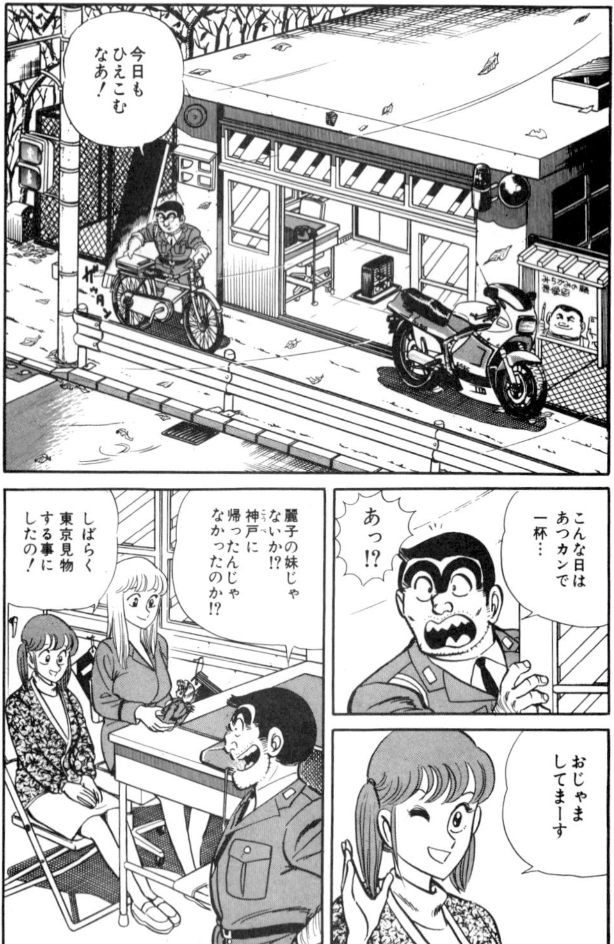
今日も ひえこむ なあ!
ガッタン
こんな日は あつカンで 一杯…
あっ!?
おじゃま してまーす
麗子の妹じゃ ないか!? 神戸《こうべ》に 帰ったんじゃ なかったのか!?
しばらく 東京見物 する事に したの!

そうか! いつでも東京案内してあげるぞ! わしは 年中暇だから!
どうもありがとう
おや!? バービー人形じゃないか!
優ちゃんが留学してる時アンティックショップで買ったんですって! なつかしいでしょう
ほう! ちょっと見せてみろ
両ちゃんおもちゃに関してはプロよ
本当!
そのバービーどう? 両さん!?
このバービーは初期の3型だよ 残念だ!
初期の1型だったらバービーマニアが高価で買うところだったが!
同じ人形にいろんな種類があるの? 知らなかったわ………
おもちゃ道はじつに奥が深いからね

◇ここでバービー人形をしらない読者に説明せねばなるまい◇

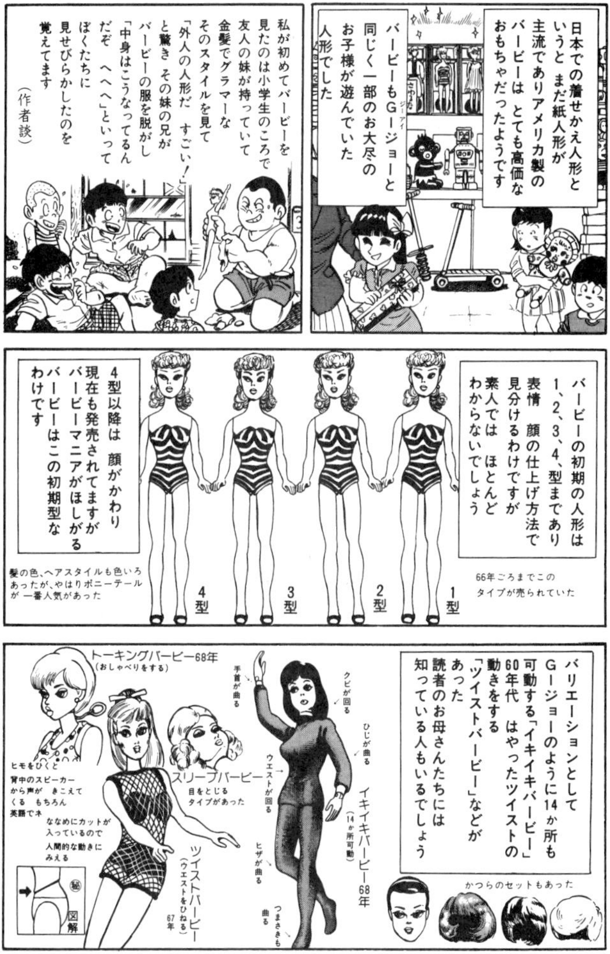
日本での着せかえ人形というと まだ紙人形が主流でありアメリカ製のバービーは とても高価なおもちゃだったようです
バービーもG《ジー》I《アイ》ジョーと同じく一部のお大尽のお子様が遊んでいた人形でした
私が初めてバービーを見たのは小学生のころで友人の妹が持っていて金髪でグラマーなそのスタイルを見て「外人の人形だ すごい!」と驚き その妹の兄がバービーの服を脱がし「中身はこうなってるんだぞ へへへ」といってぼくたちに見せびらかしたのを覚えてます
(作者談)
バービーの初期の人形は1、2、3、4、型まであり表情 顔の仕上げ方法で見分けるわけですが素人では ほとんどわからないでしょう
66年ごろまでこのタイプが売られていた
1型
2型
3型
4型
髪の色、ヘアスタイルも色いろあったが、やはりポニーテールが 一番人気があった
4型以降は 顔がかわり現在も発売されてますがバービーマニアがほしがるバービーはこの初期型なわけです
バリエーションとしてGIジョーのように14か所も可動する「イキイキバービー」60年代 はやったツイストの動きをする「ツイストバービー」などがあった
読者のお母さんたちには知っている人もいるでしょう
トーキングバービー68年
(おしゃべりをする)
ヒモをひくと背中のスピーカーから声が きこえてくる もちろん英語でネ
スリープバービー
目をとじるタイプがあった
ツイストバービー
(ウエストをひねる)
67年
ななめにカットが入っているので人間的な動きにみえる
㊙
図解
イキイキバービー68年
(14か所可動)
手首が曲る
クビが回る
ひじが曲る
ウエストが回る
ヒザが曲る
つまさきも曲る
かつらのセットもあった

全世界のマニアの中でも
アメリカのマニアは すごく
自分のコレクションを本にし
出版したり 著作も数多く
さすがにコレクター王国
アメリカという気がする
Barbie
COLLECTION OF BARBIE
COLLECTOR BOOK Barbie
バービーのバリエーションで
世界のファッション
シリーズがある
その中でも
ジャパニーズバービーは
すごい！
HAWAII
HAWAII Barbie
梅の模様が入った真赤な
和服姿は演歌歌手顔負けで
おまけに目が細くハナペチャで
サンダルを はいているという
恐ろしい人形である
これは現在でも
外国で売られて
います
小物 アクセサリーも
多く作られているが 作りは
大雑把で水中メガネなど
目がはみ出してしまう
車なども スケールが
合わず なんとなく
間ぬけな
ドライブポジションに
なってしまう
Gージョーもそうだが
1/6スケールでは 大きな物は
むずかしい Gージョー戦車も
小さくて迫力が まるでない
M
バービーは50年代 60年代当時の
アメリカファッションを知る事ができ
まさにアメリカの時代とともに
育ってきたため コレクターにも
人気が強いといわれてる

一方　日本ではコレクションというより
やはり　女の子のお人形遊びが
主流である
日本の人形はトップレベルにあるのを
知る人は少ないと思う
毛皮コート
（本物のミンクを使用している）
定価なんと５万円
和服（京友禅）生地を製作
京都で人形用に
カンサイの→デザイン
人形用にデザインをたのんだ
あのG－ジョーやバービーの服を作ったのは
元もと日本であり　日本人の手先の器用さに
よって縫製のていねいさ　バリエーションの
豊富さなどに優れ　一流のデザイナーブランドの
服まで出現するほどで
もはや世界一といえるだろう
どの世界でもコレクターという連中は異常なほどの情熱と知識があるからな！
本当！すごいこだわり方ねえ
この顔見たら110番
あった！そのバービーだ！
お巡りさん　その人形を私に譲ってくださいませんか…！
な…なんだいきなり!!おまえは!?

私 ドール評論家《ひょうろんか》の矢《や》野《の》万《まん》太《た》郎《ろう》という者です
そんな職業あるのかよ
このやつは3型だぞ！いいのか!?
もちろん！3型の髪がブラウンのその人形がまだ入手してないんですよ
ぜひ譲ってください 価格はいくらでもけっこうです ぜひ！
わしにいわれても困る これは優ちゃんのだからな
いいわよ別に！ほしかったらあげても…
わかった！いい方法がある!! こうしよう！
私がひとまず優ちゃんから買い取ろう！そして彼には私から譲ろう
えっ一万円も！そんな!!
麗！この一万円もらっちゃっていいの？
いいんじゃないの！
今 その数倍で取り引きしている様子だから！
5万円でどうですか？
うーむ ほかにもほしがってる者がいてね…
じゃ8万円！
10万円！
商社みたい！

コレクターの心理を　よく心えてるから足元を見るのが得意なの！大阪《おおさか》商人も顔負けよ！
すごい人ね！
商談成立しました！1万50円で彼に譲ってあげました！
うそばっかり！
お巡りさん　ずいぶん人形に詳しいですがGージョーも詳しいですか？
何？Gージョーか？
自分で言うのもうれしいが……世界広しといえどGージョーに関して　わしの右に出る者はいない
人は　わしをGージョー博士と呼んでいるほどだよ
私のコレクションに変ったGージョーがあるんですが鑑定してもらえますか？
よろしい私が見てしんぜよう！
竜馬
30
というわけで出かけてくるから　後の留守番はまかせたぞ！
もう〜

どうぞこちらです
リカちゃんハウス
うおっすごい!

家の中マネキンだらけで不気味だな
これも大切なコレクションですからね
デパートの婦人服売場みたいだ！
世界中のドールがこの資料室に集結しています

まるで昆虫採集みたいに人形がかざってあるなぁ……
ミッディ
ミッディブロンド
ミッディブロネット
ミッディレッド
ツイギー
ブラックフランシー
その中でも珍品をお見せしましょう
ん!? なんだ!
これが 幻のリカちゃんのパパです
試作で一体だけ作られ 市販されませんでした フランス人で交響楽団の指揮者という設定です
大泉滉《おおいずみあきら》みたいな顔してるな とてもフランス人には見えん
ところで鑑定してほしいというGージョーはどこだ?
GI·JOE
はい どの資料にも出てなかったのですけど
WWII(第二次大戦)のソビエト兵なんです
これもコレクターから高く買った品です

こりゃ 偽物だよ こんなタイプ ないよ
しかし「MADE IN《メイドイン》 U.S.A.《ユーエスエー》」と 入ってますよ！ 試作品では!?
そんな事ない！ なにしろ わしが 作った やつだから な！
ドシャ
3年前 大阪の 造形グループに 頼まれて30体 作ったんだよ！ こんな所で 出会うとは 思わなかった
ひどい!! インチキじゃ ないですか！
この日本兵も わしが作った！ 「兵隊《へいたい》やくざ」で 勝《かつ》 新太郎《しんたろう》が やっていた 「大宮《おおみや》」がモデルだ
メチャ クチャ だ！
わしのなど まだ かわいいものだ！ キズ ヨゴレなども そっくり型取りし 箱も古く作り 「Gージョー パーフェクト版」を 裏で作ってる やつらもいる
わしが 見ても 本物と見分けが つかんほどだ！ 現在 素人の 造形技術は プロなみだぞ！
バービーは 偽物じゃ ないだろうな 心配になって きた！
まだ そっちは 手を出しておらん たぶん大丈夫だ

あっ！今日は火曜日か！服を着がえないと！
どこか出かけるのか!?
人形の服ですよ！毎週一回着がえているんです
人形全部着がえてるのかよっ!?
そう！大変なんですよいつも徹夜作業です！
服もデリケートですからみんな手洗いですよ フロは 月一回 シャンプーは毎週やらないと髪が痛むから
こりゃマメなやつじゃないとコレクターはつとまらんな
でも これが手に入ってから楽になったんですよ
なんだそりゃ
自動パンツはかせ機！
スポ
おもちゃ会社の下請け工場で使ってたのを譲ってもらったんですよ これなら1分間で15人は はかせる事が可能です
お巡りさんもちょっとやってみますか？
やめとくよ 変な気持ちになりそうだ

お巡りさん その戸棚から 服を出して もらえますか
ここにも 服が入って いるのか!?
なんだ! セーラー服が いっぱい 入ってるぞ!!
有名女子高の 制服は すべて そろってます
人形遊びの 方向が だんだんと 危ない方に 変って来たん じゃないのか ?
フェミニスト 女学院《じょがくいん》と 聖女学園《セントじょがくえん》の 制服出して ください!
わかるか! そんな もん!!
これですよ この位は 覚えといて ください
小夜子《さよこ》ちゃんと 理香《りか》ちゃんは 同じ高一の友だち ちょっと つっぱって るんです
芸の こまかい やつだ
さあ 学校に いこうね
バタン
学校
えーと 小夜子ちゃんの 席は どこだっけ? 前の席は 友子《ともこ》ちゃんだし 由紀《ゆき》ちゃんの 後かな?
ズズ…
もう 負けたよ あんたに かなうやつは いない

あっ!! となりの組のフランシーがいない!
なんだ そのフランシーって?
バービーのいとこで聖女学園で英語を教えている先生です
ボーイフレンド(ケン)
ケンの友人(アラン)
バービー
いとこ(フランシー)
友人(ミッジー)
妹(スキッパー)
タミーちゃん
ふむふむ なるほど
どこ いったのかな! あれは貴重な人形なのに! おかしいな!
ネコがくわえていったんじゃねえのか! 人形がひとりで歩くわけない
ジリリリリン
はっ もしや!?
え!! フランシーを誘拐した!? そんな!! 返してくれ!
本当か!? インチキかもしれんぞ!
フランシーを電話に出してくれ 話をさせろ!!
おいおい! 血まような! 相手は人形だぞ
うう… 間違いない その声は確かだ……
トーキング使用の人形なんです

返して ほしければ 五千万円 持ってこい!! そんな!
話を 引っぱれ! その間に 犯人を 捜す!
えーと! 切らないで! そうだ! ぼくの落語を 聞かそう! 「こがねもち」を やるから! いいか いくぞ
あいつの性格に 詳しいやつだ! そう遠くには いないだろう!
あっ あいつ!!
くそ!! もう 警官が 来るとは!
人形誘拐で 逮捕だ! おとなしく しろ!
ダダダ

げっ!
ばかやろう 人形 壊れちゃったじゃないか!
あいつ 自殺しかねないぞ!!
どうもありがとうございました
よかったな 無事人形も 戻って来て
ちょっと 形が 変った ような気が するんですが
ねっ それ しゃべるんですって? 聞かせて
いいですよ このヒモを 引くと……
私 フランシーよ よろしくね
本当だ しゃべった
おかしいな たしか 英語でしか 話せない はずなのに
もう一回 やってみよう

ギブミー チョコレート ジェネラル マッカーサー
発音がメチャクチャね!
じゃ もう一度………
人形遊びは家に帰ってゆっくりやろうねっ!
あっ!?
え!?
ブロンドの髪で スタイルバツグン! バービー人形そっくりだ!
前に来た時はバービー人形に夢中で気がつきませんでした
着替えの服買ってあげます! いや 買わせてください! 似合うドレスを選ぶの得意ですから! ぜひ!
いいわ! 遠慮しておく! またね! バイバイ
だいぶパーデンネンになってきたな 人形と人間の区別もつかないようだ!

★週刊少年ジャンプ1986年11号

白銀はよぶ！の巻《まき》（前編《ぜんぺん》）

新宿《しんじゅく》で寒い中なん時間も待たされて
スシ詰めバスに乗せられ8時間もの長時間狭い中でガタガタ揺すられ
寝不足のままスキー場に着くとゲレンデは歩行者天国のごとく人であふれ
2時間待ちでリフトに乗って人の間をぬって滑って初心者にぶつけられ足を折って帰るという…スキーツアーに……
行ってくるのか！おめでとう本田くん
なんか楽しくなくなってきた……
わしたちのスキーはどこへ行くんだっけ？中川！
今年こそデビューしますとアシ○君
スイスのツェルマットですけど……
きみは充分日本のスキーをエンジョイしてきなさい！わしらも2週間ほどヨーロッパでエンジョイしてくるから
もっと早く知らせてくれればよかったのに…グスッ…
かわいそうじゃないですか本田さん！
わしらのスキーに参加しないで交機のスキー会に参加したあいつが悪い！運の悪いやつよ！

白銀はよぶ！
の巻《まき》（前編《ぜんぺん》）
ROSSI

ROSSIGNOL ROSSIGNOL ROSSIGNOL
ROSSIGNOL ROSSIGNOL

ゴオオオオン
スイスのモンブラン上空です! あと すぐで着きますよ
あれがモンブランかケーキとはだいぶ形が違うな
コンコルドは中は狭いがその分さすがに速いなあ!
個人旅客機《プライベートプレイン》としてはこの広さで充分ですよ

派出所の方これで全員なの？少ないわね
それがひどいのよ……
ある男に知らせるように頼んだのだが旅行2日前に知らせたのだよ
そのため3人が参加できなくなってしまったのだ
ひどい話ね！そんな意地悪な人がいるの!?
おー すげー
おお
いるんだよすごく身近に！
グイイイン

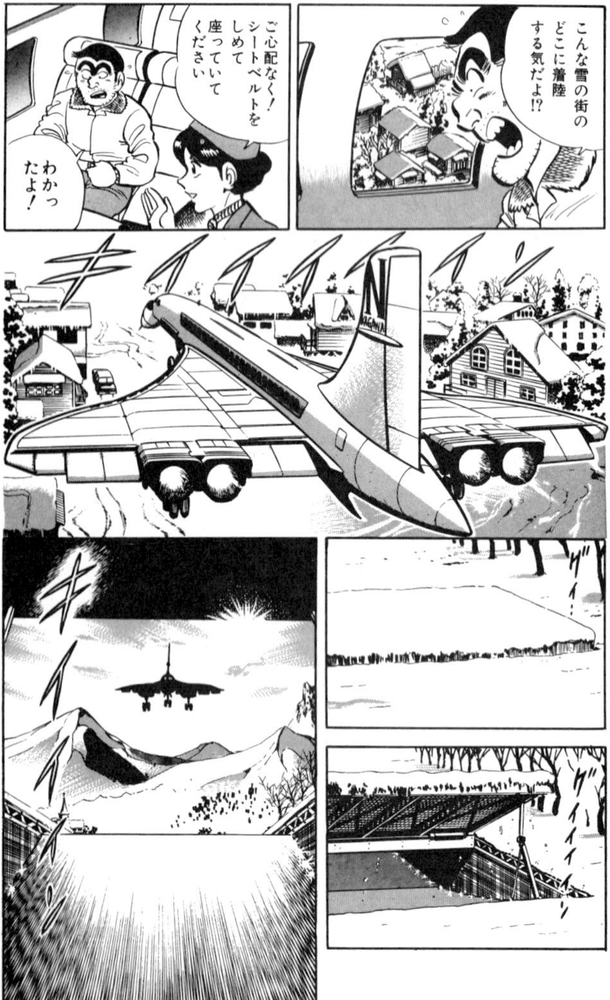
こんな雪の街の
どこに着陸
する気だよ!?
ご心配なく!
シートベルトを
しめて
座っていて
ください
わかったよ!
キイイイイイン

ゴオオオオオ　オン
ウイイイン
ピタッ
到着いたしました　シートベルトをおはずしください
秘密飛行場みたいな所だな
空港を通ると入国手続きが面倒ですからね！
しかし密入国じゃねえのか!?　これは!?

この国の大臣と父とは友人ですから来る時は国賓《こくひん》としてフリーパスですよいつも！
ヨーロッパはどこでも自由に行けます
いつもながら中川の生活ぶりには　圧倒されるな
なみのおぼっちゃんじゃないすからね！こういう友人を大切にしておきたいですな部長！
ブロロ…
ここはやはり外国なんだな外人ばかりだぞ
部長　恥ずかしいマネしないように庶民は私たちふたりだけですから！
ホテルに着いたら名物のフォンデュを食べましょう
うひょっやったあ！
ブロロロ…

このホテルも中川資本のホテルか…うーむすごい
いちいち驚いてちゃこれから先ついていけませんよ!
おっ!部屋は決まったのか!?
今 シーズンで混んでるからね予備の部屋も大使館の人たち優先で入れちゃったんですまいったな
父の友人が先に部屋を取っちゃったんですよ!
なんだって!?
どうすんだよ泊まるとこないのかよ!?

ねえ！むこうのホテルでもいい？
いいけどよどこでもシーズンで満員じゃないのか!?
パパが経営してるから大丈夫よ！きっと
行ってみましょう！
あいつらの金持ちぶりはいったいどうなってるんだ！
取り乱すんじゃない！両津！
バッチリよ2週間 5名分部屋が取れたわ
そりゃあありがたい話だ

じゃメシ食べたらさっそく滑りに行こうぜ
スキーは明日からにしませんか？
今日は食事をしてお酒でも飲んでゆっくりしましょうよ
そうよ明日からにしましょう
どうもペースが狂うな！せっかくスキー場に来たというのにメシなんざ食べてる暇あるかよ
おお見てみろ両津すばらしい景色だぞ！
はいこちら両津部長組だ…
えっこれから泳ぎに行く!?
部長あいつら寒中水泳やろうってんですがどうします!?
この寒さの中で!? もっとよく聞いてみろ!!

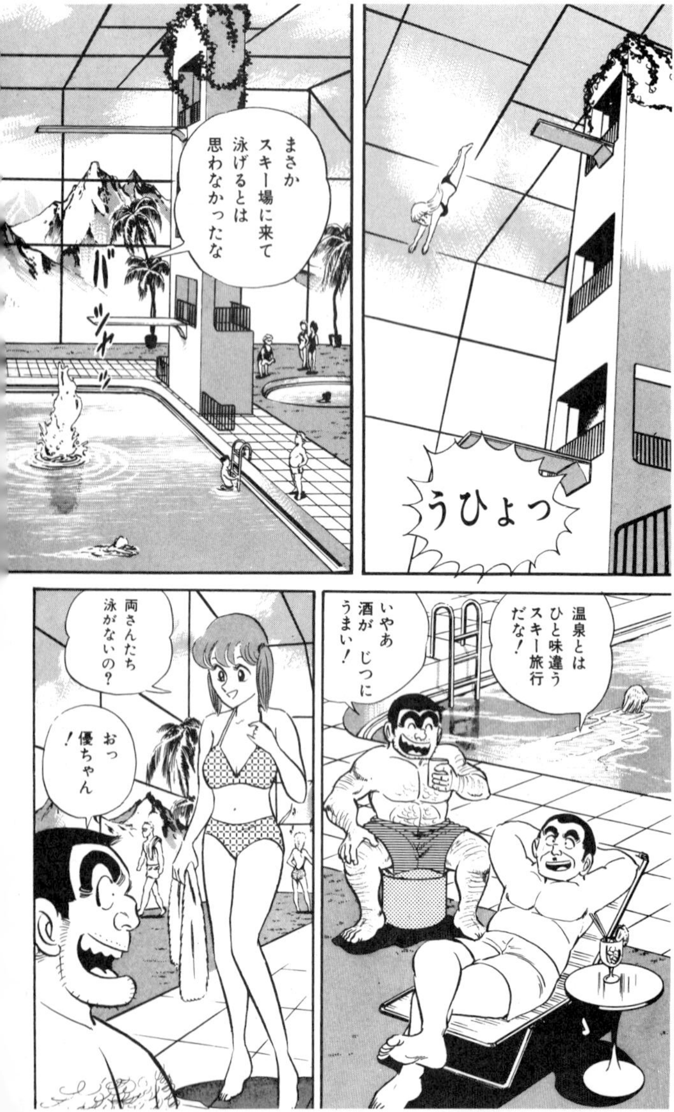
うひょっ
まさか
スキー場に来て
泳げるとは
思わなかったな
バッシャッ
温泉とは
ひと味違う
スキー旅行
だな!
いやあ
酒が　じつに
うまい!
両さんたち
泳がないの?
おっ
優ちゃん
!

まさに
リゾート
ですなあ
部長!!
よろしい
おじさんの
豪快な
泳ぎを
見せてやろう
コキ
コキ
けっこう
上に登ると
高いなあ!
飛び込み
やってよ
両ちゃん
いい
とも!!

下のやつらどけ！ゲットアウト!!
行くぞどりゃ!!
ダダッ
ガシャッ
キャアーッ
ウワッ
なんて馬力のあるやつだ！まったく！
本当に豪快だったわ！
ううっ寒い！寒い！
冗談じゃないよ！こりゃ!!

カキーン
かんぱーい!
まったく今回はリッチな旅行だな
両津のやつどうしたんだ遅いな
フロントに服を借りに行ってるんじゃないですか?

スキーウエアや
着替えを
全然 持って
こなかったよう
でしたから
何考えて
いるんだ
あいつは！
両さんて
ユニークな
人ね！
それも
ケタはずれ！
いっしょに
いる方は
大変よ！
いや！
どうも
おまたせ！
また
始まった
ぞ……
ホテルの
マスターが
大の日本びいき
でね……
紋付き
借りちゃった
いいでしょう！
ジェームス
さんだわ
きっと！
両さんと
気が
合っちゃった
みたいね！
ハアイ
リョーサン
コンバンワ
おう
さっきは
サンキュー
なるほど
日本びいきだ

両ちゃんの事落語家かって聞いてるわよ！
ペラ ペラ
そうでゲスよ！
めでたいネタをひとつ！お坊さんがふたり走っていたそうで
これが本当のおしょうがツー（お正月）
ワハハハ
おっうけた！外人にもこのギャグがわかるのか！
こりゃ本気だしちゃうよ!!
こっちからこっち休め！こちらの方に重点的に笑わせますからね
ワハハハ
私は神社じゃありません！お賽銭《さいせん》ください！
上見てもダメだよおばあちゃん
場所をかえようあいつは日本のハジだ！

ゴオオン……
この飛行機で山頂まで行くのかよ!
そうですそこから2時間かけて下まで滑降して行くんですよ!
なる程ダイナミックなスキーだな
お弁当持ってきたの
おや
ガタガタ
麗子のスキー板がゆるんでるぞ……
何する気! ドアを開けて!
バタ

危ないわよ!
ビュ
大丈夫もう終った!
ズルッ
うわっ!!
両ちゃんが落ちちゃった!!
食料とスキーを今の場所に投げてやれ!
あいつは山男だから心配いらん!
丁度滑降コースの下だから後で拾って行きましょう
ゴオオオ
こら!!止まれ!!なんて非情なやつらだ!
全然助けようという気がない!ちくしょう!おぼえてろ!!

★週刊少年ジャンプ1986年９号

白銀はよぶ！の巻《まき》(後編《こうへん》)
リフトでなく飛行機で山頂まで来て滑るとはいかにも外国的だな
せっかくスイスまで来たのですからね！
おや!?
ぜい
ぜい

白銀はよぶ!!の巻《まき》
(後編《こうへん》)

飛行機から人を落としておいて平気で行くとはなんてやつらだ!
自力で登って来たのか…不死身だな…
下は雪だし先輩ならなんとなく大丈夫かと思って……
なん千メートル上空から落とされて平気なはずないだろ!!
じゃあ行きましょう
あっ
待て!こら!

うぬ〜〜〜っ
無視しやがって…
いい度胸だお前ら!!
地獄へ送ってやる!!
先輩が怒って追って来ましたよ
ズザザザ
一直線でこっちへ来るぞ
優ちゃん逃げなさい! あの人おこると恐ろしいのよ
えっ
ザザ
その恐ろしさを思いしらせてやるぜ!
ズザザザ
きゃあーっ

くらえーーっ
あっ くそ!!
逃すものか てめえ!!
執念深さは ハンパじゃ ねぇぜ!

追いこんだぞ
もうにがさないぞ！
うぬ！飛びやがった
味なマネをしやがって！
こっちもつづけ!!

ぬおっ!!
ザザザ
うわわわっ!!
大丈夫かい麗子さーん
ちょっとやりすぎちゃったかしら……
両津は心配いらん!!夕食にはしっかりと戻ってくるやつだ!
本当に不死身ね!

ちっくしょう
あいてて!
岩に命中
しやがった!!
ヘタに
深追い
しすぎたな
いちち!
ズギュッ
うわっ
なんだ!?
ちょっ
ちょっと
待った!
おい!
早まるな
怪しい者じゃ
ない!
待て!
この人は
犯人じゃ
ない
驚かして
すまん
人違いだ!
日本語
しゃべれる
のか!

実は この山に 銀行強盗が 逃げこんで それを 追っている ところだ!
犯人は 武器を 持っている 危険だから 近づかない 方がいい
するとお前たちは 警察か?
いや 軍の 山岳部隊 だ……
雪山に 囲まれた この国では 我われのような 特殊部隊が 必要だ
服はおろか スキー板や ライフルまで 真っ白だな

しかし馴れてるとはいえ　速いな　地上を　走っているように進むぞ
これを使ってるからな
なんだそりゃ!
アザラシの毛皮だ　これをスキーの裏面に装着すると逆行止めになる!!
なるほどそんな物使ってるのか
スキーの止め金具も普通の固定式でなく爪先を中心に可動するようになっている
固定式
可動式
だから馴れると歩くのと同じようになるわけだ!
へえそりゃ便利だな
スッ
スッ
だからスキーをはいたままでもあのスタイルで撃てる!
まったくだな…

ダダーン
向こうの班が犯人を見つけたぞ!
ダダダダ
ダダダダ…
さすがに速いな!ちょっと待ってくれ!
ズギューーン
いたっ!あいつらか!
お前ちょっとライフルをかしてみろ!
ズギューーン
わしも手伝ってやる
あいたた!!普通のスキーだとひざ撃ちができん!
自然にウンチングスタイルになってしまう

チャッ
スタイルはどうでも狙いさえ正しけりゃいい!
うわっ
まだあんたいたのか!? よけいな事するんじゃない!
あんなに反動がもろ来るとは思わなかった!
その為滑り止めを付けてるのだノーマルだと伏せ撃ちしかできん!
まったくだあ――っびっくりした!
ここは我われにまかせて早く避難していろ
ちぇっ! しかし早く降りた方がよさそうだ!

夕方になって
だいぶ
吹雪《ふぶ》いて
きたな
山を
降りてるのか
登ってるのか
さっぱり
わからん!
あまり
動かん
方が　いい
寒くなって
きた
ここで
ひと晩
泊まる事に
する!
家を作って
中で
休もう!
かまくら
みたい
だな
風が
無くなった
だけでも
暖かく
感じるよ
固形燃料
缶詰め 水
ポケットテレビ
漫画など
なんでもある!
これなら
なん日でも
大丈夫だよ

ザク
ザク
ザク
ザク
雪の中でモチなんか食べてると日本気分だね
チャッ
あっ
あっ こいつら昼間の犯人!!
ノーノー 無抵抗ね!
私 逆らいませーん
吹雪になってわしの家に避難しに来やがったのか!!
変な物しょいこんじゃったよ

両さん…夕食になっても戻らないわよ
何かあったんじゃない!?
ANNEE1970
1969
BICHO
ナイトスキーでもエンジョイしてるんじゃないのか?
2週間たって帰らなかったら捜してみましょう
麗 あんな事言ってるわ ふたりとも
でも本当に鉄人みたいな人なのよ大丈夫
みんな両さんの事ランボーみたいに思ってるようね!

さあ ぐっと いきな
どん どん
だいぶ酔って 来たな 今がチャンス!
銃を いただけば こっちの 物だ!!
うわっ
きったねえ 拳銃も 持って いやがったのか!
やばい! 本気で おこらせちまった!
こうなりゃ 捨て身の 戦法だ!

ワァーッ
グラ
グラ
ウワッッ!!
逃がすか 待てこら!
寒さ比べなら負けんぞ
お前ら冷凍にして連れて帰る!!
翌日
というわけで本当に冷凍にして下山して来たわけです
やる事が並みはずれてる
カキーン

あの吹雪で我われは引きあげたのにつかまえてくるとはすごい!
日本警察のレベルにおそれいったか!
かれは 日本のポリスマンでも最優秀の男です! 日本一です!
やはりそうでしたか
いい機会ですからかれを山岳隊指導員として貸しましょう 5年位!
ありがたい ぜひお願いします
部長 勝手に決めないでくださいよ〜っ! 5年も ここにいるのなんかやだ〜っ!!
海外スキーばかりか両津も処分出来たとは一挙両得だ! いやあ来た甲斐があったよ!

★週刊少年ジャンプ1986年10号

命の恩人《おんじん》…の巻《まき》

外から スーパーポイントが 出て来た その後ろから ブルーサンダーが おってくる！
意外な展開に なってきた！ スーパーポイント ブルーサンダーが トップに おどり出た！
スーパーポイント 1着 2着に ブルーサンダー！
ちくしょう なんてこった！
まさか あんな馬が 来るとは！ すごい 荒れたレース だな
ちょっと 待てよ 8—8 だろう…

あった！2,000円買ってあったぞ!!
な…なんだって!?
山中 22 81 10R 16 ★★2000円 36 ★★1500円 56 ★★500円 88 ★★2000円
地方から来た馬だからなとりあえずおさえておいたんだ！
すげえな！ガチガチの本命がこけてはらっぱの2頭が入ったんだ！でかいぜ!!
オッズに999と出た！こりゃ10万こえるぞ!?
地方馬がまんじゅうのかたぼうをかついで来やがったな！
ただ今のレースの配当をお知らせします
しーっ
しーーん
単勝7,850円 複勝2,500円
連勝複式158,200円！
この配当は昭和45年の124,000円の記録をぬりかえ競馬史上最高の配当金となりました!!
ガヤ
すごい！158,200円もついたぞ両さん！
ガヤ
ガヤ
うろたえるんじゃない！今計算してるところだから！

馬券一枚が158,200円だから…えーと
300万円をこえるぞこりゃ!
両さん!3,164,000円だぜ
この券が3,164,000円か!
やったやったすごいレースを仕留めてやったぜ!!
さすが勝負師両さんだ!やったな!
さっそく前祝いでワンカップ買ってここで飲もう!
ちょっとまて!
有頂天になってるスキに券を落とすという話はよくある!ここは早めに現金にしよう祝いは後だ!
意外としっかりしてるな!

現金で
3,164,000円です
ビシッ
タクシー乗り場までガードマンをつけましょうかお客様！
いいえ家が　近いものですから大丈夫！
ガードマンなんて不要ですよ！なんせこいつは警察……
ぐっ
ド
じゃこれで失礼します！
よけいな事言うな!! 職業が　知れたらフォーカスのいいネタにされちまうだろ
事務所
悪かった！つい口が　すべって
20
上野《うえの》にいい店を知ってるからそこで飲もうぜ
ははは今日は記念すべき日だからな！

じゃあ また 来週の 土曜日な！
今度は オレが 万馬券を とるぞ！ はははは
BAR 波止場
北野屋
まだ 300万円 丸まる 残ってるぞ！
けっこう 使いでが あるなあ！
これで しばらくは 優雅な 独身生活が エンジョイ できるぞ
エアガン買って R・C《ラジオコントロール》買って 毎日がバラ色の 日びだ！
おや!?
あの中年親父《オヤジ》 あんな所に つっ立っていて 変だな…

やはりそうか！ちょっと待て!!
わしの目の前で自殺されちゃたまらん！
ダッ
うわっ
はなしてください！死なせてください！
そうはいくか！
会社が倒産してしまうんですどこの銀行へ行ってもお金を貸してもらえなくて…
金か……
300万円あれば手形が落せて乗り切れるのですが…
ドキッ
なに！300万円!?
うーむなんという偶然ピッタシの金額だ！しかし貸したらすべてがパアだ！
残念だが今一円も持ってないんだ！じゃーね
お願いしますなんとか！
ピク
私はいいのですが！女房子供が不憫《ふびん》で！

私 金全然 持ってないの！ 本当に 残念だ じゃあ また
いや！ あなたなら 持っているような 気がします！
このままじゃ 一家が路頭に 迷い 残された道は ありません
力になって ください
わかったよ わしが その300万を 貸して やるよ！
えっ 本当 ですか!?
ありがとう ございます ご恩は一生 忘れません！
やるんじゃ ないぞ！ 貸すんだぞ！ 後でちゃんと 返せよ！
勢いで 300万貸して しまった…
あいつ 本当に返す かな？
まてよ！ あいつ 寸借《すんしゃく》サギかも しれんぞ！
ひょっとして わしは 大胆な事を してしまった のかな!?
しかし あの場合 見て見ぬふりは できんしなぁ まいったな！
飲んだ後 すぐ タクシーで 帰ればよかった！ タクシー代 けちった おかげで 300万パアだ！
さんま

数か月後
おい 両津!
えっ
おまえ 以前 競馬で なん百万円も かせいだって 本当か?
いきなり 何を言う気 ですか!
おまえの 競馬仲間が そう 言っていたぞ
ゴホ
ゴホ
なん百万も あったら お昼に 320円の ホカホカ弁当 食べてるわけ ないでしょう
それもそうだ やはり 何かの 間違いか!
いた! さがし ましたよ 両津さん!
あ! あの時の 自殺志願者!

本当にたずねてくるとは思わなかったよ!
もっと早くこようと思っていたのですがいそがしくてつい……
その口ぶりじゃ仕事の方も順調にいってるようだなよかったな
これも両津さんのおかげです
両津何かしたのかこの人に!?
これはこれは上司の方ですか!
やばい!
じつは私 工場を経営する者ですが数か月前この両さんに300万円お借りしたんですよ
なに300万円!
両津!やはり競馬をやってたな
お巡りさん!その300万円のおかげでうちの工場が助かったのです
ゲームの下請をやってたのですが…今ではオリジナル商品を作り これが当たりました
倒産寸前の状態から現在社員100名を使うほどの会社に成長したのですよ

競馬のもうけ ほとんど この人に 貸しちゃったんすよ 自殺する所 だったんです から…
本当に お世話に なりました!
そんな 気にしないで ください!
どうせ こんな男が 300万持ってても 2週間位で バカな使い方して 消えるん ですから!
ピシャ
おたくが 有能 だったからこそ その300万が 有効になん倍にも なったんです おたくの力です
とんでもない 元がなければ 世の中 何も できませんよ
あの時 両津さんに 出会わなければ 私は この世に いなかったと 思ってます
命の 恩人 ですよ
オホン
今日は お借りしていた お金を お返しに 来たわけです
返って くるのか! 300万が!
とんでもない 利子もなしで お返し するなど できません!
申しわけ ありませんが 金額は こちらで きめました
3,000万円です! お受けとり ください!
えっ 3,000万円!!

工場の規模が10倍になりましたのでお借りした額も10倍に!
さ…さんぜんまんえん…
この金はおたくが預かっていてください
何するんですか部長!
まだ金の使い方の知らぬ男です おたくの会社の株にでもあててください!
そしていつか必要な時いただくという形にしましょう
恩人に思ってる人の株が あれば経営にも力が入ると思います
わかりました初心を忘れずがんばりますよ
両津もそれでいいな!
本当は現金の方がいいのになあ…
いつでも必要な時にお支払いしますから!
それじゃよろしくお願いします
まいったな!必要な時っていつも必要なんだけどな
株なら増える事がありますよ先輩!

何！本当か中川!!
3,000万円分もあれば数パーセントアップしてもなん10万円も増えますからね
やったあ もうかるのか そりゃ最高だ!!
時には暴落で損する場合もありますがね…
損するだと…3,000万円が少なくなるのか？
その会社の経営によって変動するのですよ！株は！
あいつの会社大丈夫かな
TVゲームはまだ のびてるから まだ大丈夫でしょう！
なぜ そう言えるんだ！あいつは一度会社 潰《つぶ》しかけたやつだぞ！
今度の会社は大きいですからね！
大きいからこそ潰れ方も早い…と新聞にも書いてあったな
3,000万の現金も見ずに また倒産して共倒れという事になるかも…

なるほどでっかい会社だなあ!
これなら心配ないかも知れんな!
いや!外見だけで信用してはいかん!!
以前 金でもうけた商事会社はものすごく立派でみんなだまされてしまったのだ
両津だが社長に会いたい
受付
はい 少しょうおまちください!
わしのあの300万が元でこんな会社が出きちゃったんだから…すごいな!
部長の言う通りわしなどとてもマネできん!
わざわざ来ていただいて!どうも!
よう
お電話くだされば車ですぐお迎えに行きましたのに!
じつは株を現金にしようかと思ってね!

何にご利用になるのですか？
新製品
ハワイの方に別荘をひとつ買おうと思ってね！
それでしたらわが社と取り引きしてる不動産会社があるので安く…
いや！けっこう
知り合いに頼んであるから
残念ですね今株が上がる時なのに…
うーむ私も本当に残念だ！つらい！
きみ！両津さんの持ち株をすぐ現金にしなさい
はい
ご希望通りキャッシュで3,000万円あります
うむ
ガードマンに護衛させますよ両津さん！
心配いらんわしは警官だぞ本職だから大丈夫！
やったあやっと現金が手に入ったぞ！
あんな株券より本物のお金の方がよっぽどいい！

リッチにタクシーで帰ろう！ヘーイ
待て！急に金使いが荒らくなるとバレる恐れがあるな！
どこから金が入ったんだ!?
やめた！バスで帰る事にしよう！
生活はなるべく普段のままで行動しないといかん！
1日1万円ずつ使っても8年以上はもつからな
幸せな日びが続きそうだ
おや!?
あんな所で何してるんだ……まさか!?

またか!! そう ポンポン 飛びおりるん じゃない!
はなして くれ! 頼む!
会社が 危ないんでね うう……
みんな そんなの ばかり だな!
何!あの有名な 一井屋商事《いちいやしょうじ》の 社長だって!?
知ってる でしょう あの大会社 そこが 今 危機なんです ここだけの話
ピク
今 私に お金を貸して いただければ 絶対 100倍に して返せる 自信が あるのです! なにしろ大会社 ですから!
100倍だって…… 本当か?
もちろん! これを 乗り切れば 会社は以前の なん百倍の 収益を もたらすのは 確実なんです!
たとえば だぞ! たとえば 3,000万円 貸したら 30億に なるのか?
当然です わが社の恩人 ですから 30億位 安いものです!
ちょっと 喫茶店で そのあたりを ゆっくりと 聞きたい!
いいですとも! なにしろ 大会社ですから……
Coffee
YUKI

先輩 近頃 機嫌が いいですね
ははは 世の中 楽しい事が 多いからね！
来週には あいつに預けた 3,000万が 30億に なって転がり こんでくるからな
1日100万円 ずつ使っても 10年近く かかるのか うーむ 最高！
銀座《ぎんざ》で サギ男現る 大企業の名を かたり 30万円うばい ドロンだって
多いわ ねえ その手の サギは……
一応 ちょっと あいつに連絡 とって おこうか！
大会社の 社長だから 間違いないと 思うが……
ピッ ピッ
おかけになった 電話番号は 現在使われて おりません
一井屋商事の 社長と名のった らしいね 大企業の社長が 道端の人に お金を借りるなんて どう考えても ありえないよ！
世の中には だまされ ちゃう人が いるのね！ バカみたい！

★週刊少年ジャンプ1986年16号

おせんべい屋両《りょう》さんの巻《まき》

パ
青戸6丁目
8-20
OIL
TEMP
ドッ
ドゥオオオム
交機33
警視庁
なんだ!? あの車は!? パトカー みたいだったが…
まさか!?
うわっ!!

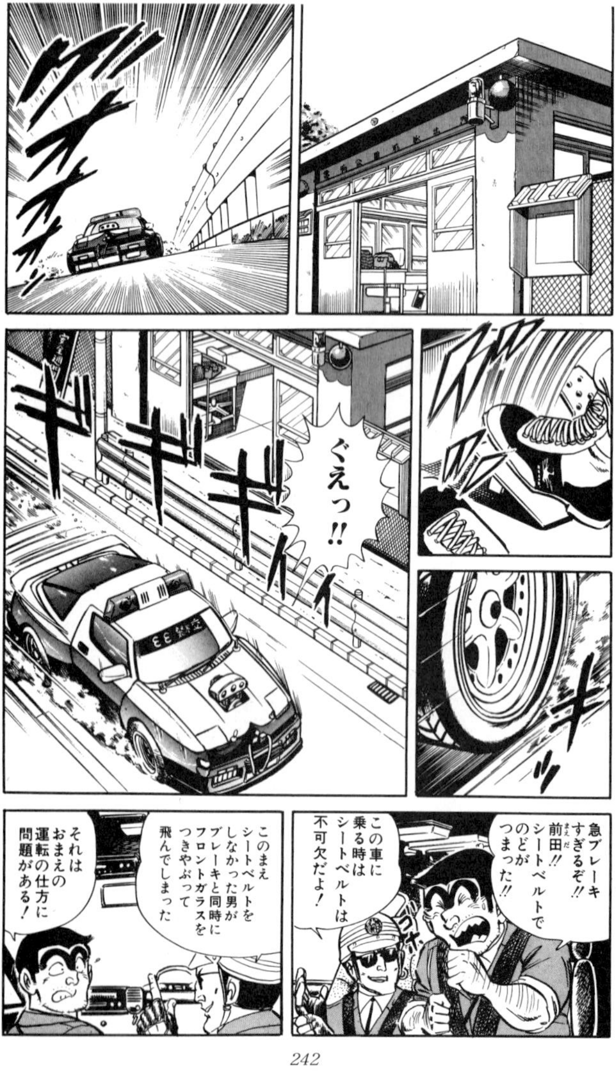
ぐえっ!!
急ブレーキすぎるぞ!! 前田《まえだ》!! シートベルトでのどがつまった!!
この車に乗る時はシートベルトは不可欠だよ!
このまえシートベルトをしなかった男がブレーキと同時にフロントガラスをつきやぶって飛んでしまった
それはおまえの運転の仕方に問題がある!

おくってくれてサンキュー！あまりスピードだすんじゃないぞ！
わかったわかった
おっ!! 速度オーバーのポルシェ!!
ホットロッドのこの前田さんとサシで勝負する気だな！
ガキ
オレからにげられると思うなよ！
どっちが違反車だかわからんよまったく
先輩
ん!? なんだ!?

さきほど2丁目の山下《やました》さんがたずねてきましたよ
山下!? あのせんべい屋のおやじか!?
何か相談したいことがあるみたいでしたよ
このわしに何を相談しようというのだ!?
まさか100万円ほど貸してくれというんじゃあるまいな
それはないと思います!
ベーカリー
手焼せんべい
山下
せんべい
OPEN

ここだ!
ここだ!
相かわらず不景気そうだな!この店は!
おーーーい!だれもいないのか!?
健康に毎日せんべい
元祖手焼き
あれ?両さんじゃないかね?
おやじさんいるかい?
元祖
しょうゆ10円
おじやなんて食べてないよ両さん!
お、お、おやじだよ!おやじ!!
アラジン!?外人なんかうちにはいないよ

ばあさんがいるとややこしくなるからあっち いっててくれ!
やあ! きてくれたのかい?
おう! いいところに きた!
おやじさんがきたからもう ばあさんいいよ! ご苦労さん
おや そうかい
年寄りと日常会話するのはつかれるよまったく!
はははは
ところで用はなんだ? 相談ごとか?
そうなんだ! 実はこの店の経営きびしくてな!
いっそつぶしちまってゲームセンターにした方がいいんじゃないか? その方がもうかるぞ!
バリ バリ
そう簡単にいうなよ両さん! 人ごとだと思って!
だって本当だよ! いま時の若い奴はせんべいなんか食べないよ!
バリバリ

昔は　手土産は　せんべいと　きまってた　ぐらいだが　いまは　年寄りも　食べなくなって　きたからな
そうなんだよ　なにかいい　アイデアは　ないかね？　両さん！
まっ　ないことも　ないがね！
えっ　本当かい!?
現代は新人類時代！　若者にアピール　しなければ　ヒット　しない！　昔ながらの売り方じゃ　生きぬいて　いけないよ！　この時代！
じゃあ　どうすれば　いいんだ!?
まず　場所を　かえる！　ここじゃ　地元の　じーさん　ばーさん　しか　買いにこない　だろうが！
この店を　売った金を　資本金と　してだな…
原宿《はらじゅく》の竹下《たけした》通りに　小さくてもいいから　店を　かまえるんだよ　それも　いま風に！
SEN BEY
SEN-BEY SHO
rice cooky
TRASH
BEY
いらっしゃいませ！　こちらに　見やすい　メニューが　ございます
きょうは　なんに　しよう　かな？
リック……¥100
カレー……¥100
風……¥150
……¥0
お茶
コンブ茶
ムギ茶
サトウ水
カレー
和風
ガーリック
新
バニラ
ペパーミント
チョコ

スパイシー味のせんべいをもらおうかな
はい！2分ほどお時間かかりますので！
ジュウ
ガーリック
イタリアン
トッピングどれでなさいますか？
七味唐辛子《とうがらし》でおねがいします
パサ
パサ
おまちどうさまでした
Wせんべい《ダブル》バーガーおねがいします
はい
おまちどうさま
Wせんべいバーガー
せんべい
ハンバーグ
ハーゲンせんベッヒバニラおねがいします
和風……¥150
スマイル……¥0
はいおまちどうさま
ハーゲンせんベッヒバニラ
バニラアイス
あられ
せんべい

という風にいろんなバリエーションをふやせば　売れることまちがいなしだぞ！
とても　原宿なんかに店なんかだせないよ！両さん！
ここを売ってもたかがしれてるよ原宿の店がこけたら住む所がなくなるよ
そこは勝負だ！いちかばちかだよ！
女房　子ども以外におじいさんとおばあさんもかかえている身で　とても冒険はできんよ
まったく！人生は賭けだぞ！おまえ！
両さんはひとり身のうえ家も財産も何もないから賭けられるんだよ
大きなお世話だほっとけ！
わしなど結婚していようとしていまいとどんな条件でもやる時はやるぞ！
オレも　そう思うよ！さぞかし悲惨な家庭だろうな…両さんと結婚したら絶対　幸せはこないと思う！
わしの将来の話してる場合じゃないだろうが！おまえのこと心配しろ！
そうか！すまん
でも　やり直しがきくのは30歳前半までだよ　思いつきで行動しないでしっかり生活設計を立てないと…
そうなんだ部長にもよくいわれるんだ…

わしのことなどいいといってるだろう! かまうな!!
両さんの方が心配になってきたよ
男一匹何やったって食っていけるんだから心配ねえから! てめぇんとこのガキの心配をしろ! おまえが食わせるんだぞ あいつらを!
そうだったすまん!
ここで売り上げを上げるしかない! アイデアいっぱいあるからさ バンバン実行してみようぜ! あすから勤務さぼって毎日きてやるからよ!
助かるよ こういうことは両さんたよりになるからな!
元祖
手焼
まかせとけ! いま時一枚10円で商売してちゃもうかるはずないぜ!
その信頼感と行動力は日本一だよ! 両さん!
いやあ はははは
バリバリ
その能力を仕事に生かせればいま頃警部補くらいになってたろうに おしいな!
その通りなんだ! これが勤務に生かせれば…
うるせえな! 人の欠点をいちいち指摘するな!

さあ
らっしゃい
らっしゃい！
バ・テ・レ・ン・タ・イ・ン
せんべいの
大特売!!
みなさん　ごぞんじ
6月14日は
おせんべいの日!!
江戸古来より
この日は男から女へ
愛を告白する
大切な日なのです
当時　伴天連《バテレン》が
長崎《ながさき》の娘さんに
せんべいをおくって
愛の告白をしたという
記念すべき
バ・テ・レ・ン・タ・イ・ンの日です
せん
せんべい
プレゼントはおせんべ
6月14日バテレンタインデー
パン
パン
ガヤ
ガヤ
ガヤ
一年に一度だけ
か弱き男性が
女性に好きだと
いえるチャンス!!
いまなら　この
ハート型せんべいに
名まえをかいて
焼いてさしあげます！
この機をのがすと
あとがないの！
フジパン
じゃ！
ひとつ
ください！
へい！
毎度あり！

優ちゃん
この名まえを
いれてつくって
ちょうだいな
はい
ペタ
YUMIKO 好きです AKIRA
ジュウウ…
おまち
どうさま
へへ
どうも
日本男児は
せんべいしか
ない!!
せんべいで
アタックだ!!
じゃ
ぼくも
ください
ぼくも
一枚
きゃあ
この おせんべい
かわいい!
BIG ジャイアント せんべい
世界一
たべっこせんべい
パンダさん
ブタさん
しまうまさん
ねこさん
そうでしょう
2 3匹
買っていってよ
種類もいっぱい
あるから
じゃ
この馬
ください!
ちがうよ!
それは
ポニーの
大きい奴
馬はどれかな?
これは
馬面の
大きい犬で
これは鼻と
耳の小さい
小象で…
みんな
おなじに
見えるわ

かわった物ばかりだな普通のせんべいはないのかね？
もちろんありますとも！
硬派のお客さんにおすすめ！〝元祖げんこつ岩せんべい〟！
ズシッ
半端なかたさじゃありませんうるち米でガッチリとかためてあります
うむまるで岩だ！
〝元祖《がんそ》大辛《おおから》炎《ほのお》せんべい〟もあります！唐辛子99％使用
ひと口食べたら辛さで300メートル走りまわるという唐辛子せんべいの極致!!
ほとんどまっ赤だ
塩せんべいの最高峰とも呼べる〝ソルトスペシャルせんべい〟もあります
1.5センチ中にせんべいがはいってます
これは塩の板じゃないのか？
いまこの硬派せんべい3点セットをお買い上げの方全員に
こちらのせんべいに家紋をお入れして焼いてさしあげますが…
よろしい！それでは3点セットでもらおう
ありがとうございます

すごいねえ 両さんは! どんどん 飛ぶように 売れていくよ!
まったくだ! はじめアイデアを 聞いた時は 不安だったが こうも売れるとは!
ガヤガヤ
ガヤガヤ
ワァー
せんべいの山下
おじさま 焼きあがったの もらっていくわよ!
ああ たのむよ
あの子も よくはたらいて くれるね
あの子の おかげで 若いお客さんが たくさん きてくれる
せんべいの山下
両さんのタンカ売りの 威勢のよさと あの子のかわいさの バランスで繁盛 してるんだね
その通り 警官に しとくのは おしい男だよ
ふう! 暑い 暑い できたか? 試作せんべい?
ああ! 一応 できたが…
洋風は ほしぶどう入り ピーナッツ入り チーズ入り チョコチップ入り そして和風は 梅ぼし入り 昆布入り 明太子《めんたいこ》入り 納豆入り… 味は どうか わからんが…
バリ ボリ
せんべい
うむ! いける 上等だよ!

この"ドンパッチ入り"というのは何かね?
はじけるキャンディがはいってるんだ
若者にバカウケのキャンディだからヒットするぞ
どうかね?
この"ドンパッチせんべい"なん枚焼いた?
一応《おう》各30枚ずつ焼いたが…
安売りの徳用にまぜてさばいてしまおう!失敗だ!!
やはりガム入りやコーラ味せんべいなどのきわ物は商品化がむずかしい!
お徳用
"動物シリーズ"につづく新作"いろはシリーズ"の進行具合いはどうだ?
それがひと筆で書ける文字は問題がないのだが…
バラ
バラ
「ほ」という字になると「し」と「ま」という2文字に分かれてしまうのだ
ま
明朝体《みんちょうたい》でなく草書《そうしょ》のようにつづけて書くようにすればつながるだろうが…
"ABC《エービーシー》ビスケット"のようにアルファベットじゃだめかね両さん!?

英語じゃ だめだ! ひらがなが いいんだ!
おまえは この〝いろはシリーズ〟の企画意図が 充分わかって いない!
この企画は 購買力の低い 小学生低学年に せんべいを 売るためのものだ ひらがなで自分の 名を書けるように なった小学生が この〝いろはシリーズ〟を 買いにくると するだろう
最低でも6文字 多ければ9文字 売れる! これは大きいぞ!! ローマ字は まだ ガキにわからん!
なるほど! それで ひらがなを!
それに カタカナや ローマ字より 丸みのある ひらがなは かわいい!!
だから このように 女学生も 買うかも しれんだろ
そのように せんべい世代 以外の 客層を ひっぱろうと 日夜 わしは 考えているのだ!
さすが 両さんだ! わかった 努力してみる
さあさあ いらっしゃい いらっしゃい!
いま 時代は せんべい!! せんべいが 静かな 大ブーム!!

なに!? 両津がせんべい屋の店員になっただと!
優ちゃんも手つだってるらしいのよ すごく繁盛してるんですって
いま 評判ですよ あの店! いつも行列だとか
勤務に全然こないで そんなところで はたらいていたのか!
とっちめて おかんと クセに なるな!
おさないで ください!
本日の "動物シリーズ"は すべて おわりました!
バラエティ せんべいが あと30分で 焼きあがります もう少しょう お待ちください!
手焼せんべい
せんべい

★週刊少年ジャンプ1986年24号

気分はスター!?の巻《まき》

渋谷《しぶや》
PARCO
レストラン街
どうもありがとう両さん! 高い物買ってもらっちゃって!
いいやなんのなんの!
駐車禁止
RECESS
競馬でちょいと金が入ってなあるうちに使わないとな
ははは
やさしいのね両さん!
若い女の子だけにはな! ほかには一円もあげない

ハラがへったなそこらでメシでもたべてくか…
うん
ちょっとお時間をいただけますか!?
なんだ おまえ わしは 神は信じないぞ アンケートもきらいだ!
いや!けっしてそういうのじゃありません!
カメラマン山田《やまだ》一郎《いちろう》
写真をとらせてもらいたいのですが……
なんだ それならそうと早くいえよ!
よかったOKですね
こんなポーズでいいか!
そうじゃなくて!
やはり七《しち》三《さん》の構えの方がきまるか!
とりたいのはかの女の方なんです

なに!? わしじゃ ないのか?
そう かの女の 全身写真が ほしいんです
全裸だと!! きさま エロ雑誌の カメラマン だな!
ガッ
ちがいますよ 服を 着たままで いいんです!
雑誌の ギャルコンテストの 企画で モデルを さがしてるん です……
本当 だな!?
優ちゃん どうする? とらせるか?
わたし あまり 興味 ないわ!
という わけだ じゃあ バイバイ
あっ そんな!!
BEEP Y ASS
RECESS
この通り お願いします どうか一枚 だけ!
ペコ ペコ
この 体をはった たのみ方… こいつ プロだな!
どうする 一枚だけ とらせて やるか?
じゃあ 一枚だけね

じゃあ とります! 男の人 じゃま ですから はなれて!
くそ!
ビデオ レンタル
あっ!!
ギャルコン
第1位 得票数8万通
優ちゃん
第3位
第4位
優ちゃんが 一位に なってる!
へえ すごいじゃ ないですか
得票数 8万通だって ダントツじゃ ないか!

本当!? 信じられないわ!
ほかの連中もみんなかわいいぞ この中でトップとはすごいな!
優ちゃんきてる?
いるよ!
私のうちの電話番号 雑誌社の人に教えたでしょう
ええ だって 麗のところに下宿してるから…
朝からテレビ局やプロダクションの人から問いあわせの電話が殺到よ!
えーーっ
直接 マンションまで なん十人もおしかけてるわ 優ちゃんにあうまで帰らないわよ
どうしよう こまったわ!
やれやれ 女は 器量ひとつで世渡りできるからいいよな
男はつらいよですね!

時の勢いはすごいもので優ちゃんは あっという間にシンデレラガールとなってしまった
写真集は100万部完売
レコードも100万枚突破
映画 テレビ 舞台 本
コンサート ミュージカル
ディナーショーなど
今や 飛ぶ鳥を落とす勢いである
優ちゃんスペシャル
優 IN 武道館LIVE
なんだあ この写真集は!?
全部隠しどりばかりじゃないか!
優ちゃん写真集出すのいやだっていったのに 勝手に出版したんだって!
ものすごい強引なやり方だな
レコードだって本人歌ってないのに勝手に発売したのよ いったいだれが歌ってるのか不思議がってたわ
アイドルのはなんでも売れちゃう世の中だからな!
優プライベート
プロダクションの人たち わたしまで誘ってるのよ すぐ主演映画制作してあげるからって!
なればいいじゃないか OKしたか?
ことわったわよ ちゃんと!!
なのに わたしの隠しどり写真集が町中で売られてるのよ 信じられないわ
麗子写真集
HIMITSU
ズ

レコードやエッセイ集なんかでたらどうしよう不安だわ
おそろしいうっかり行動できないなあ
アメリカのケネディ大統領も生前の演説の声にバックで音楽を流し亡くなってからレコードデビューしたという事があったぞ!
それもすごいわね
映画もアップを3カットだけ優ちゃんで残り全部はそっくりさんが演じるんだって
まるでブルースリーの死亡遊戯《しぼうゆうぎ》だな
優ちゃんがテレビに出演してますよ
なに!
ペットが大好きという優ちゃんです
テレビのインタビューで「BMW《ベーエムベー》は好きですか?」と聞かれて「ハイ」といったら次の日にファンや企業からBMWが8台も届いたそうよ
テレビでのひと言が世の中を動かしてしまうのか………
本当だでてるでてる
さて男性ではどういうタイプの人が好きですか?
私のお姉さんの上司の人なんですけど
亀有《かめあり》公園前派出所にいる両さんみたいな優しい人が好きです

ははは かわいい事 いっちゃって 優ちゃん
ん!?
どうか したのか おまえら?
きますよ ……… マスコミ が!
まさか! あんな ひとことで!
好きと いって しまったん ですよ 大胆にも…
早く どこかに 逃げた方が いいわ!
おい おい 別にすぐ くるわけじゃ あるまい!
両ちゃん マスコミの 行動力を 甘くみちゃ だめよ!
ブロロロ…
ブオオオ…
もう 遅い きたようだ
キキ
キキ
キキーッ
TV

ここだ 亀有公園前派出所は!
亀有公園前派出所
署に問いあわせたら ここに 勤務してるといった さがせ!!
ドヤ ドヤ
ドヤ ドヤ
いたぞ これが 恋人の両津巡査長だ!
おおっ すごい ハンサムだ!
うわっ
先ほどのテレビごらんになりましたか?
恋人発言どう思われますか!?
ちがいますよ 両津さんは むこうです むこう!
優ちゃんと どういう関係ですか?
えっ この人!?
この人が 両津巡査長!!

うわっ
恋人発言に何かひとこと!!
何かいってください!
先輩!! しゃべらずに逃げた方がよさそうです
あっ 逃げたぞ
てめえーっ このやろう 逃げるんじゃねえ!
ばかやろう 逃げるな! てめえーっ
うしろに回れ!絶対逃がすんじゃねえぞ!
先をこされるぞ! 殴ってでも阻止しろ!
いてえーっ
いた! 公園だ 追え!!
銃を使いやがった 気をつけろ!
かこめ! 右翼へ回りこめ!
もう! 優が変な事をいうから大さわぎになったじゃない

数日後
なんだと!?
お相手は現職警官
アイドル人気NO1の優
わしはひとこともしゃべらなかったのに!
本人が「ノー」といっても記者が「イエス」と記事にかけば そちらが正しい世界ですからね
この雑誌は独占手記がのっているわ両ちゃんの!
ちくしょう なんだ この写真 顔だけ切りぬいて貼りつけてあるぞ!
マッドアマノの作品か!
男子自身
コンピューターで選ぶあなたの恋人…♡
日に日にマスコミ陣が増えてくるな!
あっ部長!!
今日でた週刊誌みたか!?
いえ!
エライデー
ERIDAY

あっ わしが のってる!
パチンコ亀
おまえの行動 ひとつで警察の イメージが 悪くなって しまうんだぞ!
だって これは 非番の日に パチンコに 行った時に とられたんですよ
たとえ 非番だろうと 今後ギャンブル 一切 禁止!! おもちゃ屋 映画館 競馬場すべて 出入禁止!! 勤務が終ったら すぐ帰って ねる事!!
くそ~~~っ みんな あの連中の せいだ!
むこう いってろ おまえら!
消えて なくなれ!!
パシャ
パシャ
パシャ
パシャ
そんな事 したら よけい マスコミの 思うつぼですよ
ちくしょう 写真とるなっ バカ!

これで　また明日のスポーツ紙の一面に先輩のおこった顔がのりますよ！
くく…おこるにおこれないとは〜〜っ
まったくドジなやつだ！
あっなんだ!?
派出所がテレビにでてる!!
両津巡査長こっちをにらみました
パシャ
麗子新聞紙をいっぱいもってこい！
浅間山荘事件《あさまさんそう》じゃあるまいし四方八方からテレビカメラでうつしやがって！
全然　仕事になりませんねこれじゃあ！
ジリリリリン
あっ

はい！こちら…
えっ 優ちゃん!? 今どこなの！
マスコミにかこまれて事務所から一歩も動けない…バカねあんな事いうからよ
優ちゃんとはもうなん週間も会ってないらしいですよ麗子さん
どこかで会いたい!? そうね…じゃあ広尾《ひろお》の…
麗子しゃべるなっ盗聴されているぞ!!
えっ本当!?
完全に外部と孤立してしまいましたね
マラカニアン宮殿のマルコスかわしは！
両津!! 今からパトロール行ってこい！
えっ
おまえがここにいるからマスコミが増えるんだ！4時間ほど外にでていろ！
パシャ
パシャ
そんな！マスコミを引きつれてパトロールするんですか!!

しかたねえ こいつら 無視しよう
全部 先輩に ついていきましたね
あいつなど 取材しても しようがない だろうに!
よう 魚屋 元気に商売 やってるか!
は はあ や…やって ますよ
おっ!!
町の住人に あいさつを してます
ブロロロ…
同級生の 押田《おしだ》じゃ ないか!
どうしたん だ? この騒ぎは……
騒ぎ!? 別に何も 感じないが…
ちょっと お茶でも 飲んで いこうぜ!

いらっしゃ……
カシャカシャ
パシャ
パシャ
今度のクラス会は絶対でるよ
パシャ
パシャ
何事だいったい!?
パシャパシャ
大スターがきたんじゃないのか!
その後 麗子の作戦で恋人宣言を次から次へとしてしまいマスコミ陣を分散させる事に成功した
一般民間人の両さんより芸能人の恋人の方が話題性が あるので次第に両さんの周囲からマスコミは消えていった
ピース
パシャ

今日は 記者がひとりだけかいなくなるとさみしい気もするな
両ちゃん いい事あるわよ
優ちゃんが帰ってきたのよ
バア
ありゃ!?
さっきテレビの生放送で優ちゃんでてたぞ
あれも本物なのよ
わたし ほかにもやりたい事があるから芸能界やめたの
でも ファンやプロダクションに悪いから極秘でそっくりな女の子をみつけてすりかわったというわけ!!
わしがみてもわからなかったぞ!
新曲キャンペーンで髪きったりメイク変えたりしたからね
新しい優ちゃんは歌も うまいしお芝居も上手だしわたしより数倍上のアイドルになるわよ
じゃあ これですべて元の生活にもどったというわけだ!
そう! 一か月間だけのシンデレラだったけどね!

★週刊少年ジャンプ1986年18号

部長、変身《へんしん》!?の巻《まき》

春の交通安全週
警視庁
配置転換で べつの派出所へ 私が いくのですか!?
三丁目派出所の班長が入院してしまってな! 臨時というわけなのだが…
実務経験ゆたかな大原くんなら うまく指導してくれるのではないかと思ってな!

ん？どうかしたかね？
よろこんで三丁目派出所にいかさせていただきます署長！
臨時といわずずっといてもいいくらいです！
さっそく来週からということになるがいいかね？
はい！はやい分にはいくらでも！
署長室
バタッ
ついに 私にも運が むいてきたな
悪魔の申し子といわれる両津ともこれでわかれることができる！
実務経験 管理能力 実績など 昇進条件が 充分なのに 約一名 足をひっぱっている 男が いるのだ
昇進
いくら実績を上げてもその100倍くらい不祥事を しでかす部下がいては まるで無にひとしい
PAM

常識がある部下ならば 私の管理能力が 100パーセント生かされ かならず 評価されるはずだ
そうなれば「いままでの評価はまちがっていた 大原巡査部長は あんなに有能だったんだ」と 正しい判断をくだす
これはいい機会だ うむ!
えっ!? 部長がべつの派出所へいくだと!
代行ということで 一ヵ月くらい 勤務するらしいですよ!
この派出所はどうすんだよ!? 班長なしでやるのかよ!?
新しい部長がくるといってましたけど…
一ヵ月といわず 十年くらい 帰ってこなきゃいいのにな! カミナリがおちなくて しずかでいいよ!

わしだって十年くらいおまえとはなれたいよ!
げっ!? 部長!!
部長がいなくなるなんて私 さみしくてさみしくて!
いま本音を聞いたばかりだ! わざとらしい!
部長を左遷《させん》するとは本署は 何を考えてるやら!
左遷じゃない! 配置転換!!
まあ しばらくは外の風にあたってくるのもいいだろう おまえたちもがんばれよ!
どこの派出所勤務になるのですか!?
三丁目派出所だ! 新米警官ばかりのところらしい 育成をかねて指導してくる!!
たまにはあそびにきなさい! 両津は こなくていいからな!
部長も体に気をつけてください!

なんか
うれしそう
ですね
くそ
最後まで
イヤミを
いいやがって!
Coffee 747
Coffee 747
ここが
三丁目
派出所です
なかなか
きれいな
派出所じゃ
ないか
むずかしい
ですよ
この
派出所は!
どう いう
ことだ!?
まえの班長さん
神経つかいすぎて
胃をやられて
入院したん
ですからね

きみたち
今度 新しく
班長になられた
大原巡査部長だ
あっ!
どうも
大塚《おおつか》です
巣鴨《すがも》
です
じゃあ
部長
私は
これで!
うむ!
ごくろう
だった!
今日から
よろしく
たのむぞ!
いいえ
こちらこそ
おい 巣鴨!
昼メシはやく
たのんでおけよ
バカ!
うるせえな!
自分のことは
自分でしろよ

まだ新米なので よろしくご指導 おねがい します
うむ よし! よし!
まったく 口のきき方も しらんらしいな ここの連中は!
まあ新任早そう おこるのも おとなげない
ここはひとつ おうように かまえるか 相手は まだ新米だ
オホン
きみたち! 私が ここに着任した のも なにかの縁だ 今夜いっしょに 飲みにいかんかっ!?
えんりょ するな わしの おごりだ!
今夜 コンサート みにいくから ムリですね! すぐ かえら ないと
ぼくも 予定が あるから いいです!
飲みにいく時は かってに いきますから! 気をつかわないで くださいよ!
近ごろの若い者は すべて自分の ペースでうごいて いるのか!
両津なんか しっぽをふって ついてくるのに!
おーーい! いるかあ
!?

なんの用だ？
派出所のまえで
やかましい！
あっ！
ちょっと
ごめん
友だち
なんすよ！
なん
だと!?
こんな不良
みたいなヤツと
つきあうとは
まったく！
えっ
本当に
!?
どうも
班長!!
駒込《こまごめ》と
いいます！
こいつも
ここの巡査
なんです！
いま非番中
で…
常識が
あるどころか
常識しらずの
若者
ばかりだ!!
これで
班長が
胃をやられて
しまったのか…

部長はどうした!?
警らに いってますけど…
のん気に警らなんぞいってる場合じゃねえだろうが!
提出した報告書ぜんぶやりなおしだ!!
なんですって!?
日付けが記入されてなかったり判がなかったりでダメだってよ!わしが課長におこられてきたんだぞ!
だめなんですか?これでは?
ちゃんと新任部長にみせてから提出したのですけど…
そこが問題なんだよ!
根が きちょうめんでこまかい性格の大原部長だからチェックが完ぺきだったんだよ!
それはいえますね!

そういえば いつも 時間を かけて チェックしてましたね！
ちいさな誤字もすべてみおとさず注意されたからな！ ここに ひみつがあったのか!!
いやあ ただいま！
手《で》持《も》鹿《しか》部長 この報告書 日付けが はいってないと いけないんじゃないすか!?
ほう！ どれ どれ？
ここは べつに 記入しても しなくても どちらでも いいんじゃない！ まあ記入 したほうがいいけど べつにしなくても… いや したほうが…
たったいま 署で おこられてきた ばかりですよ！ このまま 提出して！
ほう すると やはり 記入したほうが いいのかね… でもべつに…
はい 公園前 派出所です が…
えっ!? 盗難とどけのおなじのが 二通あるですって!?
一日ちがいで 署名は 中川巡査と 両津巡査長 だって!?
赤の 自転車 ですか!?
あっ まさか あの赤い 自転車じゃ ないか!?

部長！だから盗難とどけは私が書いて提出したといったでしょう！
そうだったか？まだだと思って中川くんにたのんだのだが…
まったくもう！
はい！電話かわりましたよ！若い日付けのほうが正しい書類です
ミニサイクルだよ！そう！えっ 青色だって？
青のミニサイクルは駅でみつかったんだよ！えっ!? 書類が提出されていない？
部長 先週のひきつぎの時自転車のもちぬしにかかせた書類わたしましたよね
うむ！あずかっていたぞ
ちゃんとここにしまってある！
ガタン
とにかく青いのはみつかったんだよちがうよ！
だから!! 書類は手ちがいでまだこっちにあるわけ！そうじゃなくて!!
もういい！いまからわしがいく!!
署まで書類とどけにいってきます!!
あっ

両津くんもせっかちだね! あと3時間でひきつぎの連中がくるからその時わたせばいいのに!
先輩もいつもの10倍以上はたらいているなあ
さぼるヒマ全然《ぜんぜん》ないみたいね!
BOOK STORE
大東京堂書店
部下のしつけ方 上
若い部下とつきあう法
新しい部長の発想法
20代は何を考えているか!?
部下の管理学 1
サラリーマン人間学
ふーむ
「若い部下と上司とでは 生き方 物の価値観すべてがちがう」か… なるほど!
まさに「新人類」か! 理解できんわけだ
いままで文学書ばかりよんでいてこのような本がでているとはしらなかった…
わしらの時代のようにただきびしくするだけじゃ若い部下は ついてこないわけか…
ビジネス 社会
敵に勝つためにも敵を充分 しらなくてはいかん
よし! 徹底的に熟読してやるぞ!

翌日《よくじつ》——
その(1) 笑顔で明るく部下に接することが大切である
やあ! みんな おはよう!
その(2) スキンシップを わすれず ひとりひとりにかるく声をかけてコミュニケーションをもつ
元気かい 大塚くん!?
健康かね 巣鴨くん!?
なやみは ないかね 駒込くん!?
いやあ きのう アイスクリームを ならんで 買ってしまったよ
その(3) 流行や風潮を 敏感に察知し 日常会話にだす
いまどき ならんでいるのは カッペばかり ですよ!
そんな話 していると わらわれ ますよ 部長!
その(4) 若者の流行 価値観は 一分一秒ごとに変化をし それを はあくするには 並たいていのことではない
部下から 信望をえる ためにはどうすれば いいんだ!? だんだん わからなく なってきた
ハウツー 管理職!

部長の顔色わるいですねえ!
本当かよ 電話で話した時は 両津がいなくて 元気そのものだと よろこんでいたぞ
そういう先輩だって顔色がずいぶんわるいですよ!
あたりまえだ すでに一年分以上労働してるからな ほとんど部長代理だよ
さぼるどころか プラモさえつくる時間もないですね
部長がビシッと派出所をやりくりしてるからできる芸当であって いまの部長じゃ不安でとてもさぼれんよ!
あっ部長が 外にでていきました!
しめた!
あっ両津さん!
わっ両津さんだ!
なに!?
ようし! 鬼のいぬ間に敵状視察だ!
気をつけてください!

おまえら わしのこと しってるのか?
始末書の両さんといえば 署で有名ですよ!
公務員の身でありながら その自由奔放な生き方… すごく尊敬しますよ
われわれのあこがれです
そ そうかい!
武勇伝を聞いてますよ! 署長を2階から投げとばしたんですってね!
署のパトカー15台爆発させたんでしょう すごいな!
そんなことで有名なのか! ちっくしょう!
ところで毎日しごかれているだろ!? 部長に!
いえ!
全然!
やさしすぎるくらいですよ あの部長!
そんなはずはないんだがな!
こら 両津!!
うわっ きた!
なぜ おまえがこの派出所にいるんだ!! さぼっているのか!?
いえ!! べつにさぼってるわけじゃありませんよ!

さっさと自分の
派出所で
勤務しろ!
かえれ!
はい!
はーい!
すげえ あの
両津さんを
一喝しちゃった!
大原部長って
本当はすごい人
なんだな!
ところで
きみたち
昼飯でも
食べに
いくか?
そう
ですね
部長!!
おとも
します!
ん!?
バカに
すなおに
なったな!
元来 人望が あつく
指導力のある
大原部長に部下が
しだいに
ついてくるように
なった
西乃家
部長も部下の意見を
よく聞き 相談相手に
なったり 部長の
管理能力にも幅が
できた
一方 両さんも
手持鹿部長にまかせず
ほとんど 自分で
職務遂行していた!
すっかり まじめに
はたらくのが あたりまえの
生活になってしまった
SILVIA
NICHI-RA

三丁目派出所の班長が
退院・復帰し 大原部長も
やっと公園前派出所へ
もどってきたのであった
ガチャ
かんぱーい!!
やはり
公園前派出所が
一番だ!
ははは
はは
私も今回で
部長の苦労が
わかりましたよ
これで
のんびり
プラモでも
つくれるな?
両津!
え?
プラモを
!?
四六時中
きびしい管理の
中にいては
息がつまってしまう
ほどほどの
息ぬきも必要だ!!
ほかの派出所に
いって わかったよ
多少のさぼりは
目をつぶらんとな
ずいぶん
寛大に
なっちゃった
のね
部長さん!

★週刊少年ジャンプ1986年20号

我《わ》が人生の師《し》！の巻《まき》

やった完成したぞ!!
ずいぶん長いライフルですね
ベースはサバイバルゲーム用の基本型といわれるS《エス》S《エス》9,000というエアガンだ

シンプルでパワーアップしやすいのがこのエアガンの特徴だ
あるカメラマンがそれを2丁合体させてSS90,000(9万)という恐ろしいライフルを作った
そこで わしはそのライフルに勝つため4丁のライフルを合体させる事に成功した
それがこのやつだ名付けてSS《エスエス》900,000,000(9億)
ポンプ容量500cc《シーシー》銃身内径6mm《ミリ》銃身長2m《メートル》装弾数1発
どれをとっても今までのエアソフトガンには例のない画期的な設計だ
装弾数がたった一発なんですか?
特別方法により抽出したオリジナルBB《ビービー》弾を使うため数が少ないそれに命中精度がいいはずだから一発で充分
6mmの銃身に6mmのタマじゃつまっちゃうんじゃないんですか?
空気を1%もムダなく使うため そういう結果になってしまった…
そんなにスプリングを硬くして大丈夫なんですか?
わからん!とにかく手で引ける代物ではないのだ!
ジャキッ
ちょっと試射してみよう!

史上最強パワーが今 発揮される！
いくぞSS《900,000,000》（9億）
チャッ
ぐわっ
やはり！
暴発してしまった!?
完全密閉しすぎでポンプの方が気圧に耐えられなかった！しょせんアルミや合金じゃだめだ!!
皆さんもけっして先輩のマネなんかしないように！あぶないよ！
むなしい……SS《900,000,000》（9億）に費やした一ヵ月がムダになった…
変な事ばかりするからですよ

しかたない エアガン部門は あきらめて R・C《ラジオコントロール》の 4WD《ダブリユデー》を 作ろう
R・Cの 4WDなら 市販されて ますよ
あんなのは 本物の 4WDを マネした だけだろ
わしの企画 してるのは 電動R・C ならではの 設計だ
各タイヤに 一個ずつ 540モーターが 直結している
これこそ 本当の 4輪駆動と 呼べる!!
この マンモスパワーの マシンが 走ってる 姿を 想像 してみろ! 他のが止まって 見えるぞ
なんでも かんでも パワーアップ しちゃうんだ から もう!
両さん! ちょっと いいかな
おう ひさしぶり だな
明日のレース なんだけど どうやったら いいかなと 思って!?
よろしい! アドバイス しよう!
いろんな事 やってるなァ

最終レースはシキリヤスハラとハゲトリスにきまりだな！
やっぱり！ほかの馬はこないのかい？
ガチガチのレースだよガッチリ!!たいした配当はないがこれは取れる！
ガチ
わしが保証する！特券で買っておけ！
遊びでハゲトリスを頭にして流してもいいな 2―6 2―7 なんかおもしろい
えーと 2―6 2―7 ……と
なるほど勉強になるな
レースとしてはこの6レースが楽しめるな
どういう風にだい？
一発狙いとしてはこの……
勝馬
何が一発狙いでいいんだい両さん!?
あれ？どうかしたのかい!?
げっ あの影は？

まあ私の意見としてはそんな所かな！
まだ一レースしか教えてもらってないよ！
競馬というのは地方自治体が許可している合法的なギャンブルだ実に楽しいかもしれん
ガタ
しかしそれにおぼれてしまってはいけないぞ
私もかつてギャンブルに狂いすさんだ生活をしてた苦い過去がある
今日は中山《なかやま》明日は府中《ふちゅう》と給料すべてを馬につぎこんだあの頃はまだ若かった……
そんな生活から私をすくってくれた恩人がいた！
それが大原部長だ!!
普通なら見はなす所だが！あの人は違った！心から立ち直るようにと努力してくれたのだ！
都民を守る警察勤務の厳しさ警察官のあり方など温かく指導してくれた
私にとって上司というより人生の指導者であり世界一尊敬してる人物だ！
謹厳実直自分に厳しく他人にやさしい大原部長こそまさに警察官の鑑《かがみ》だ!!
私はそう思う！

少しょう話がそれてしまったが
ギャンブルは楽しむ程度！ほどほどにしといた方がいいぞわかったね！
私も勤務で忙しい！今後あまり派出所にこないように！
こまった連中だかれらも早く自分の人生の大切さに気づけばいいのだが……
そ…そうですね
両津！
あっ部長！おはようございます
最近ギャンブルをやめたらしいなおまえ！
えっ!?
どうしてその事を!?
顔を見ればわかる近頃顔つきが違ってきた!!
まいったな！ばれてしまったとは

私もようやく部長のおっしゃられた事が やっとわかる年になりましてね
いつまでもガキみたいにR・C《ラジオコントロール》やエアガンで遊んでられませんよ！
ここだけの話ですけど……
実は貯金してるんです！毎月２万円ずつ……
なに!?
人には言わないでくださいよ！今までと生き方が180度変ったとひやかされてしまいますから！
わかった！そうかおまえも貯金をするほどになったか！
浮き草生活にピリオドを うちこれからは大地に根をはって計画的な生き方をするつもりです！
えらい！その通りだ!!
もうひとつビッグニュース！先月！MHK《エムエッチケー》の受信料をはらったんです
なに！
今までテレビが壊れているとごまかし続けていたのですが警察官としてこのままじゃいけないと思いはらう覚悟を決めました受信者の義務です
それはあたり前だぞ
今日 勤務が終ったら飲みに行こういいな！
はい！ぜひおともさせていただきます

危なかった災転じて福となすだ!!
ものすごい機転ですね!
いかなる場合でも全神経をピリピリさせているからなわしは!
部長が10m以内に近づくとすぐわかる
ピカッ
おい両津…あれ!?
はい部長!!
シャキッ
よく わしが声をかけるのがわかったな?
そりゃもう部下としてその位は!
今日は巡回連絡だったな! おまえ
今 行く所であります

今日はわしもいっしょに行こう!
えっ部長も!!
たまには両津の勤務ぶりを見てやろう
くそ〜〜〜っ喫茶店でゆっくり昼寝しようと思ってたのに〜〜〜っ
がんばってきてください
いやあ今日もさむいですね
おもちゃ

麗子は 妹をつれて 今日ディズニーランドへ行ってるんですって部長！
妹は大学生のくせにミッキーちゃんと握手したいなんてほざいてるんですって！バカですねえ！
中に入ってるのは日本人なのに！近頃の女子大生は何考えてるのやら
さっきからベチャクチャとおちつかない奴だな 何か あるのか？
いいえ！ べ 別に 何も！
まいったな ふだんのパトロールの状況がバレてしまう
こりゃ本気でやばい！
まず この家からだな
そ…そうですね
わしがここで待っているから いつも通りやってみろ
ビー
こいつとはマージャン仲間だからな… なるべく 早くすまそう…

やあ両さん！
どうも警察ですが……
ちょうどいいマージャンやろう！今メンツがひとりたりないいん
何か変った事ありませんか!?え!?何もないそうですか！
ちょっと！半ちゃんでいいから付き合ってくれよ
ググッ
はい！それじゃまた！ごめんくださいい
!!
ばかに早かったな
そりァもう仕事は早い方ですから
先週の負けたお金後ではらうからさ！
来週マージャンやろう！
金がどうのといってたぞ
人違いじゃないんですか？私にはさっぱり！
次はこの家だな……
ここもやばいぞ……

なんだあ
両さんか?
え!?
え――
警察ですが
何か
変った事は…
なるほど!
別に変った事
ありませんよ
お巡りさん
そう
ですか!
どうも…
パトカーで
スクーターギャルを
ナンパした事
なんかも
言うと
まずいのか?
今の話は
本当か!?
ダッ
え!?
なんです
か!?
あっ!
どうしたんだ
いったい!?
今 貧血で
急に倒れちゃい
まして!
おい 大丈夫か!

パトカーが時どき消えるといってたがまさかおまえが…
まさか!!部長の聞き違いですよ!私は生まれ変ったんですよ
おい おまえわしの無実を証明してくれ!だめだ!目がさめない!
どうも疑わしいな!
居酒屋
母
居酒屋
葛飾の母
こりゃどうも
キュッ

いやあ仕事が終った後の酒はおいしいですな
ははは そうか そうか!
部長もどんどんやってくださいよ
わしはこの辺でいい!
我われは いつ事件が おこり呼びだされるかわからん仕事だ!
どんな時でも勤務ができる状態にしておかんとな
えらい!
まさに部長のおっしゃる通り!
ドン
私は 部長のその鉄よりも硬い頭や24時間気をぬかない所が大好きなんです
また教訓をいってしまったな
あっしもとっくり8本でやめときます! 勤務第一!!
そうか いい事だ
ちょっとトイレ行ってくる
へい

お手洗
冗談じゃないよ 仕事は 仕事 遊びは 遊び 適当にやらなきゃ死んじゃうよ
板さん 一升ビンでくれ そのままでいい
部長が帰ってこないうちにいっきに飲んでしまおう!
ゴク ゴク
ブ
何してるんだ両津!!
ちょっと目を 離すと すぐ 元に 戻って しまう奴だ…
ゴホ ゴホ
今のは 空気を 入れて 遊んでいただけ 飲んでませんよ!
男は 一度口にしたら守らないとね!
これを作るのか!?
酒を茶といっしょにわかし
茶のふりをしてわしにつげ

カウンターのお客さんからの注文ですから……
コポコポ
こんな事までして酒が飲みたいのかね！
お客さんお茶が入りましたよ
おっ すまんね
うーむ この店のお茶はうまい！
ズズー
じゃ わしもあついのをもらおうか！
はは はあ…
部長お茶で乾杯しましょう！ね！
えっ!?
かんぱーい!!
あちちち!!
あっ これは どうも つい力が入って!!

★週刊少年ジャンプ1986年12号

部長邸《てい》新年会
の巻《まき》

昭和61年正月
キイッ

毎年
正月勤務
ばかりで
両さん
ぼやいてる
だろうな
まったく
両さん
交替に
きたよ
ガラ
ポン
パン
うわっ
なんだ
お前ら
来ていたのか!
ジャキ
おどろかして
すまん!!

勤務しているのかと思ったら そんなので遊んでいたのか！
どうせヒマだからな かくし芸大会を見ながら作った
じゃあ わしも帰るかな！明日は 部長の新年会もある事だし！
新年会 今日じゃなかったか？
あっ しいっ!!
新年会は今日なのか!? 本当の事をいえ！
ガッ
いや！あの……その！
部長が決めたんだよ
やらないと いうと 去年みたいに 疑われるから……
日を ずらして やる事に しよう……と

なめたマネ
してくれるじゃ
ねえか!
そこまで
きらわれれば
上等だよ!
新年会に
暴れこんで
メチャクチャに
してやる!

キッ
部長の家に着いたぞ
あのハデな車は中川のだ
まちがいない
ギュッ
正月早そうお茶の間をパニックの嵐にしてやる
いざ玉砕っ!!
うおおおお
ピク
いや!ちょっとまった!

玉砕した場合 おせち料理も メチャクチャ 酒ものめない……
素直に仲間に入れば おせち料理も食べられる 酒にもありつける
強行作戦 やーめた!!
男の面子《メンツ》を 捨てて 酒と 正月料理を 取る事に しよう!
強いばかりが 男じゃない 今年から 頭を使って 生きよう
スリ スリ
君たち! 今年も がんばってくれよ わしなどもう 年だからな!
そんな事 ないですよ 部長!
部長さんには まだまだ がんばって もらわない とね!

この所
体が調子
悪くてな
酒も控えんと
いかんな
ピンポーン
私が
出て
来ます!
あら
両津さん
おめでとう
ございます
ブーッ
いやーーーっ
おめでとう
ございます!
遅くなりまして
すいません
酒よりも
こいつを
控えたい
ものだ
よく
新年会の日を
覚えてたな
今日って事を!
そりゃもう!
私は 記憶力
バツグン
ですからね
61年1月3日
バッチリ頭に
入ってますよ
うっかり忘れて
明日あたりに
私が来ると
思ってたのですか?
部長?
いや!
そんな事は
ない!
うん よく
来てくれた
あっ
そうだ
新年の
御挨拶に
と……

キン肉マンの ソフト ビニール人形を 持って 来ました!
正月は 酒屋と おもちゃ屋しか 開いてなくて… いろいろ迷って それに決め ました
そ そうか わざわざ すまんな
ロビンマスクは なかなか入手 出来ないいん ですよ とっておくと今に 価値が 上がり ますよ! 絶対です! 部長!!
わかった わかった まあ 座りなさい!
あらっ !?
おせち料理は どこ!?
正月料理も 飽きたから これから スキヤキでも しようと 思ってな!
なんという バチ当たりな事を するんですか!!
正月には おせち料理を 食べる!! これが 日本人の 習慣でしょう!! 部長!!

だてにおせち料理があるわけじゃないんですよ!!
主婦に正月くらい家事を休ませようと日もちする品じなをつめこんで正月の間は家事をせずそれを食べるという日本人の昔からの智恵です!
おせちの内容にしてもしかり!コブ巻きはよろコブ黒豆はマメに働くエビは縁起物など ちゃんと意味があるのですよ
それを正月からスキヤキだなどと何考えているんですか!!
日本の正月はおせちに決まってるでしょう!
おせちが目当てで来たみたいだから出してあげた方がいいみたい
うむ どうもそうらしいな
母さん おせちがあったろ! 台所にあれ 出してくれ
やったあ!! おせち登場
伊達巻
あなご巻
数の子
栗きんとん
ほたて串
子持ちコンブ
たらこ煮
味付あわび
エビ
酢ダコ
パチパチ
はい どうぞ!
コトッ

あの……キントン君や数の子さんなど見あたらないようですが……
あれは食べてしまった後は　そこに残っているだけだ
黒豆　コブ巻　かまぼこ　おせちの不人気ベスト3《スリー》が残るべくして残ったわけか……
主人公のいないおせち料理なんてうまくもなんともない!
だいぶ煮えてきたぞこのあたり!
おいしそうね!
あの部長……
さあ食べようか
部長!
ん!? なんだ!?
よろしければそっちのスキヤキも手伝いましょうか!
お前の希望でおせち料理を出してあげたんだぞ!
両津は一所懸命おせちを食べなさい!
はあ…

よかったよ あのおせちは 夕方 捨てようと 思っていたんだ 残飯整理に あいつは 丁度いい!
少しょう傷んで いても 消化しちゃい ますからね
そうだ 去年の クリスマスで 残ってたのが あったはずだ
それも 出すん ですか
両津! お正月ケーキも 食べなさい おせちの後 ケーキは かかせないぞ
フライド・チキンも どうだ 少しょう岩みたいに 硬くなって しまったがな
はあ すいません! しかし スキヤキの 方も………
スキヤキは 正月料理を 全部食べて からに しなさい
これ 食べたら いいんですね わかりました!
母さん なんか 余り物ないか いい機会だから 全部処分しよう
ええ いいん ですか?
以前 お中元で もらった冷や麦 あったな これだ!! 少し カビがはえてるが いいだろ
それはもう 5年も前の 物ですよ

心配いらん　あの男 だてに「人間ポリバケツ」と 呼ばれていない！ マムシの消化液より 強力だ！
あっ！ そうだ
非常持出しの 缶詰めや水も 古くなってしまって 危ないかも知れん 実験的に両津に 食べさせてみよう
まったく
非常用
水
正月冷や麦 正月缶詰め 正月生卵 正月牛乳 正月ヨーグルト
正月料理の オンパレードだ 遠慮なく 全部　食べて くれ！
牛乳
ヨーグ
正月に スキヤキと いうのも なかなか うまいな
体が 温まり ますね
食事の後は 年頭にあたって 書き初めを しよう
いい ですね
ん!?
ぬっ

なんと!? もう全部食べてしまったのか!?
もうこのくらいなら朝メシ前ですははは
やっぱ肉の方がうまい最高!
ガッガッ
ガン
こら!!
じ〜ん
目の色変えて肉ばかり食べるんじゃない一瞬 肉が鍋から 消えてしまったろ!
だって肉が大好きなんだもん!
肉ばかり食べるから血の気が多くなるんだ野菜中心に食べろ!
ドサ
青虫じゃあるまいし野菜ばかり食べられませんよ!
野菜は体にいい肉は今日から控えろ!

じゃあ お酒 お代わり ください
燗《カン》しないで いいすから
残念! 酒は それで おしまい なんだ おしかったな!
両津君に ジュースを あげてくれ ジュース大好きだそうだから
男の面子《メンツ》が 復活して きたぞ……
お礼は たっぷり 倍にして かえしてやる
平常心を 保つ為に 剣道が あるが 書道も同じ事が いえる
今年一年の 抱負を 書き表わして みなさい
「初心 忘るべからず」か なるほど

小学生の習字か!? 今年の抱負は「青い空」……まったく!
ひどい字だ! チンパンジーの方が　お前より上手だぞ
よく 見ておけ 書道というのは 全神経を 集中させて……
ぶわっくしょん!!
ども! ちょいと カゼぎみな もんで!
どうぞ 続けて ください!
グス
全神経を 集中させて だな!

こら何するんだ中川!!
ぼくは何もしてませんよ!
とぼけるんじゃない!部長を蹴飛ばすとは なんて奴だ!
おいおい
今度はお前が書いてみろ!
え!?私が!
後ろに立たれると意識しちゃいますから前で見ててくれませんか?
いや このポジションの方がいい
ま まいったなあじゃあ書きますよ
ベチョ
せーの!
ビチャ
うわっ

あっ すいませんね! だから前へと いったのに!
いや! おかげで 欠点が わかったぞ
筆の 持ち方が 悪いぞ こう!
こう 軽く そえて…
なる ほど
ヒジを 真っ直ぐに 伸ばす
ボキ
ぎゃいん
そう! そのくらい 骨の力を 抜いた方が いい
いやあ なるほど これで習字が うまくなる…
ガ
はずが ないで しょうが!!
まだ 平常心が たらないぞ お前は!

こんなもんで平常心など養えるかあ!
まて!そのツボは高い品物…
知るかそんな事!!
どうしよう圭ちゃん!
もはや手がつけられない
あら!?
ガララッ
また始まっちゃったんですか!こまった人たちね
お前なんかクビだ!!
できるものならやってみろ!くそ!!
兄弟げんかみたいなものですよ部長もこの元気があれば まだまだ大丈夫ですね!

★週刊少年ジャンプ1986年６号

解説エッセイ「アッパー団塊世代の時代認識バイブル」

軍司貞則（ノンフィクション作家）

「R・L・R・R・R」
「（ルーズソックスの）ゴムぬき」
「E・Gスミス」
「デイリーソクサー」の3659番
「キュート&《アンド》ストリート」の91881番
「サギンズ」の1381‐8番
「ポアック」のX0《エックスゼロ》19
「ドノバン」1052
「O《オー》L《エル》I《アイ》」8185
「キャンパス&《アンド》カレッジ」425141

「チュチュアンナ」　907232

団塊の世代以上でこれらのことば《記号》をすぐに理解できてしまうとしたら、かなりの〝時代通〟いや、〝変態オヤジ〟といえるかも知れない。

このことば、この書評を書いている'97年3月上旬の最新刊、週刊少年ジャンプ（3月10日号）・「月光刑事《デカ》再登場!!の巻」のなかに出てくる記号である。

ジャンプをご覧になっている方はおわかりのことと思うが、これらの記号は〝ルーズソックス〟の品種のナンバーと〝プリクラ〟の操作レバーに関する表現なのだ。

今年（'97年）に入って、『こち亀』がどのようなテーマを扱っているか、バックナンバーを繰ってみた。すると「最新鋭カラオケ」、「ISDN（デジタル回線）」、「Eメール」、「マグネットを使った野球盤」、そして「たまごっち」と時代の最先端をいくメカが必ずマンガの中で扱われ、しかも重要な役割を果たしている。

'96年の暮れに「たまごっち」が発売され、女子中・高生を中心に瞬く間に売り切れる現象が起ると、いち早くそれを扱い「プリクラ」が流行《はや》ればすぐに好奇心丸出しに現場へ出向き、それが「スタクラ」に発展すれば、直ちに触角をそちらに向けるという対応が徹底しているのは見事だ。
このハヤリもの大好き主義、ミーハー徹底主義こそが『こち亀』の真骨頂だろう。『こち亀』は、オヤジ世代にとっての「超高感度時事新聞」であり、時代についていけず自信喪失気味のオヤジたちの、時事エンターテインメントでもあるのだ。

もうひとつ『こち亀』が面白いのは、ノンフィクション的要素である。
「秋本治自選コレクション⑩」のリカちゃん人形を扱った「ときめき変態《ヘンタイ》クラブの巻」などがいい例である。一九八六年、リカちゃん人形が20周年を迎えた年に描かれたこの作品は、従来のエンターテインメント系のマンガの概念を超え、徹底的に「リカちゃん人形」にこだわっている。登場人物のキャラクターはもちろん、20年間にわたるリカちゃんファミリーの交遊関係をびっしりと提示し、リカちゃん人形のバリエーションなど、歴史までも綿密に調べあげマンガにしている。
今年「リカちゃん」は30周年を迎え、新聞や雑誌では特集を組んでいるが、『こち亀』は10年前に、すでにそれをやっていた。
取材力もある。

われわれノンフィクションのモノ書きは、ひとつの話を何年にもわたって取材する場合が多いが、これだけ毎週毎週連載していて、その時々の話題をかなりのレベルで取材していくことは大変なことである。たぶんそれが長持ちの秘訣でもあろう。現代は情報量の豊富さ、その伝達力の速さには凄まじいものがある。

そうした情報大洪水の中で、水路をかき分け人気の高い作品を書き続けるには、発想、構想力、展開力もさることながら、作品の骨格になる事実の取材力と、現実把握の深さがポイントになる。

これが欠落すると作品としてインパクトに欠けるし、腰が弱く底の浅いものになる。小説でもノンフィクションでもコラムでもマンガでも、面白いものは必ず興味深い現実を下敷にしていて骨格がしっかりしている。『こち亀』にもそれがある。

ちょっと偉そうに能書きを垂れたが、話を冒頭に戻そう。

現代において「きたない」とか「くさい」とか「濡れ落葉」とか、社会のなかでマイナスイメージとして語られるオヤジ世代は、どのようにして動きの激しい時代の息吹や感性を得ているのであろうか。

小室ファミリーに代表される若手歌い手のキイの高い、そしてテンポの速い音楽に、ほとんどのオヤジ世代はついていけまい。

パフィの「アジアの純真」のような、一見唄いやすそうな曲でもカラオケで唄うとなると大変だろう。

軍歌と演歌と、せいぜいフォークソングかグループサウンズまでしか唄えないオヤジ世代にとっては、今の世の中は生きにくい。世の流行の外側に置かれやすい。会社に行っても、あまりに時代の流行や流れに疎いと周りからバカにされよう。

「たまごっち」といわれて「たまご」を買ってきてしまうようでは、時代の感性にズレていると言わねばなるまい。「プリクラ」「スタクラ」ということばや、その背後にある若者たちの時代感覚、生活意識を共有しておかないと時代性のある仕事はできない。

バブル期までなら、オヤジ世代は堂々と会社のカネを使って銀座のクラブやバーで飲んで、情報も時代感覚もとりこむことができた。流行の中心地で遊ぶことができたからだ。

毎日、接待したり接待されたりで、銀座を中心にオヤジ世代は大手をふって遊ぶことが社会的正義だった。そこでママ、チーママ、そしてホステスのおネエさんたちとジャレながら、江戸で流行っているものやテレビのワイドショーやトレンディドラマの話題を教えてもらい、それを自分のものにすることができた。
昼間は接待ゴルフ、夜は銀座や六本木で飲み歩き、午前さま状態で家へ帰っても、翌日会社で〝時代の話〟にはついていけた。
「部長、さすがよく知ってる」
…などと課や部内の若いオンナの娘にはやしたてられ「それほどでもないよ」と謙遜しながらカッコつけられた。
ところが、経済の地盤沈下、それに伴う接待費の削減、銀座の衰退によって、オヤジ世代は銀座や六本木に夜な夜な通えなくなった。
それは、若いおネエさんたちと毎日のように付きあい、彼女たちから直接もらう時代のアンテナ回線も切れた、ということを意味していた。
居酒屋風の一杯飲み屋でオヤジ世代同士で「あの時はよかったなあ」とたそがれ気分になっているのが今日この頃であろう。
『こち亀』はそうした地盤沈下した高齢化社会の中で、まだまだ生き続けなければならないオヤジ世代の〝時代の羅針盤〟であり、〝情報センター〟なのだ。

掲載作品は集英社より刊行されたジャンプ・コミックス『こちら葛飾区亀有公園前派出所』第48巻（1987年10月）第49巻（同12月）第50巻（1988年2月）の中から、著者自らが精選して収録したものです。

集英社文庫（コミック版）

こちら葛飾区《かつしかく》亀有公園前《かめありこうえんまえ》派出所《はしゅつじょ》 11

1997年4月23日　第1刷
2009年7月31日　第8刷

定価はカバーに表示してあります。

著　者　秋《あき》　本《もと》　治《おさむ》

発行者　太　田　富　雄

発行所　株式会社　集　英　社
東京都千代田区一ツ橋2－5－10
〒101-8050
電話　03（3230）6251（編集部）
03（3230）6393（販売部）
03（3230）6080（読者係）

印　刷　図書印刷株式会社

Printed in Japan

ISBN4-08-617111-2 C0179